초등 연산의 기준

KB101194

칸토의 연산

받아올림·내림 있는

(두 자리 수 ± 두 자리 수)

"초등 입학 후 우리 아이가 해야 할 수학은?"

우리 아이가 초등학교에 처음 입학할 때의 모습이 떠오릅니다. 머리도 혼자 감지 못하는 아이가 벌써 초등학생이 되어 많은 아이들과 교실에서 생활한다니 대견스러우면서도 한편으론 '아이가 40분 수업 시간 동안 집중하며 앉아 있을 수 있을까? 소변이라도 보면 어떻게 하지?' 등등 고민이 한가득이었지요.

기대 반 걱정 반으로 하루하루를 보내며 아이는 어느덧 별탈 없이 학교에 잘 적응하는 모습입니다. 걱정이 사라질 즈음 아이는 학교에서 생전 처음 단원 평가라는 시험을 보게 됩니다. 7살 때 100까지 막힘없이 세던 우리 아이라 당연히 100점을 맞았을 거라 생각했지만 아쉽게 한두 개 틀려 옵니다. '실수라고, 다음에 잘하겠지.'라고 넘겨 보지만 100점 맞기는 쉽지 않습니다. 혹시나 해서 "다른 친구들은 어떻게 봤니?"라고 물으면 "누구누구는 100점 맞았어!"라고 자기랑 상관없다는 듯이 무심코 하는 말에 마음이 무너집니다.

아차 싶어 이제부터 친구 엄마들에게 학원, 학습지 등 공부 정보를 수집하며 어떤 선택이 우리 아이에게 최선의 선택일지 갈등과 고민이 시작됩니다. 공부란 것을 제대로 해 보지 못했던 우리 아이는 자기랑 맞지 않는 공부를 부모의 계획에 따르며 어느 순간부터 부모와의 감정싸움이 시작됩니다. 부모님들이 초등 저학년에 많이 겪게 되는 고민거리입니다.

중학교에서 수학을 포기하는 아이들의 상당수가 초등 연산의 기초가 없어서라고 합니다. 자연수, 분수의 사칙연산을 어려워하는 아이들이 정수, 유리수의 사칙연산을 어려워하는 것은 당연합니다.

고등학교에서 수학을 포기하는 아이들의 상당수는 공부하는 습관이 몸에 배어 있지 않아서라고 합니다. 공부 계획을 세우고 공부하는 습관은 학교에서 따로 가르쳐주지 않습니다. 할 줄 아는 아이들만 공부 계획표를 꾸준히 작성하고 실천하지 나머지는 포기합니다. 단시간에 공부습관을 바로잡기는 시간이 너무 부족합니다.

그렇다면 우리 아이가 초등학생 때 해야 할 수학은 무엇일까요?

공부 습관과 수학에 대한 자신감을 기르는 것입니다. 그런데 이 둘은 모두 연산 학습으로 잡을 수 있습니다.

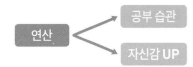

연산은 매일 꾸준히 지치지 않고 하는 것이 핵심입니다. 꾸준한 연산 학습은 연산 실력을 향상시킬 수 있을 뿐만 아니라 앞으로의 공부 습관과 태도를 형성할 수 있는 매우 중요한 학습 방법입니다. 처음에는 개념 위주로 연산의 정확도를 목표로 학습하고 꾸준히 연습하면 속도는 저절로 올라가니 처음부터 속도에 욕심내지 마세요. 그리고 연산 학습과 더불어 공부 시간을 10분, 20분, ……, 60분으로 늘려나가며 공부 체력을 길러 주세요.

연산을 잘하면 무엇이 좋을까요?

수업 시간에 대답도 잘하고 선생님께 칭찬을 받아 자신감이 올라갑니다. 또 아이는 잘하려는 마음이 생겨서 노력하게 되고 성취하게 되며 칭찬을 받게 되는 과정을 되풀이하여 결국 자신감을 넘어 자존감이 올라가게 됩니다.

또한 초등 저학년 수학 내용은 반 이상이 연산이라 연산을 잘하면 저학년 수학을 잘할 수 있습니다. 그리고 도형, 측정과 같은 다른 영역에서 넓이, 부피, 시간, 각도 등을 구할 때에도 연산이 중요하게 사용되므로 결국 수학을 잘한다는 것으로 이어집니다.

초등학교는 대학입시를 준비하는 단계가 아닙니다. 초반부터 무리하게 시작하는 것보다 아이에 맞게 공부 시간과 난이도를 조절해 보세요. 초등 공부 습관과 자신감은 중·고등 시기에 학업 성취를 높여 주는 발판이 될 것입니다. 나아가 하루하루 쌓여 끈기가 되고 인생을 살아가는 지혜가 될 것입니다.

"초등 6년 연산
학년별로 이것만은 꼭 알고 가요."

학년별로 성취해야 할 연산 내용을 미리 살펴보고, 부족한 부분을 정리해 보세요.

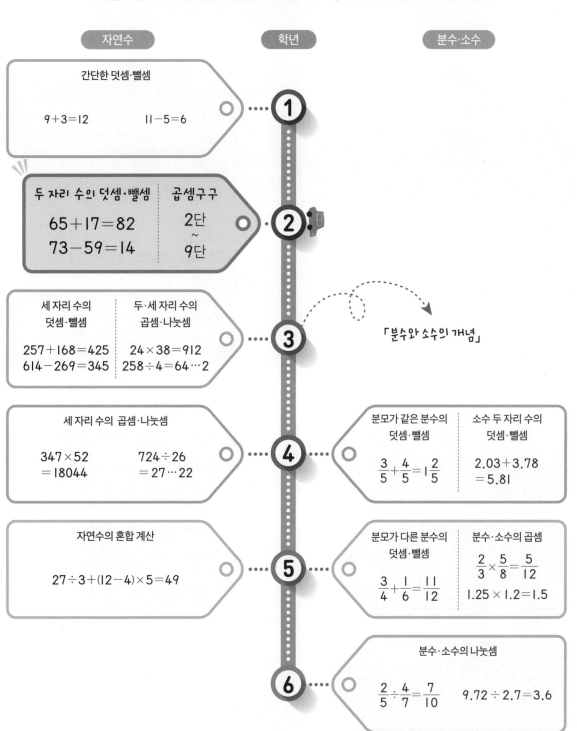

자연수   학년   분수·소수

간단한 덧셈·뺄셈

9+3=12   11-5=6

①

두 자리 수의 덧셈·뺄셈	곱셈구구
65+17=82	2단
73-59=14	~ 9단

②

세 자리 수의 덧셈·뺄셈	두·세 자리 수의 곱셈·나눗셈
257+168=425	24×38=912
614-269=345	258÷4=64…2

③

「분수와 소수의 개념」

세 자리 수의 곱셈·나눗셈

347×52 =18044   724÷26 =27…22

④

분모가 같은 분수의 덧셈·뺄셈	소수 두 자리 수의 덧셈·뺄셈
$\frac{3}{5}+\frac{4}{5}=1\frac{2}{5}$	2.03+3.78 =5.81

자연수의 혼합 계산

27÷3+(12-4)×5=49

⑤

분모가 다른 분수의 덧셈·뺄셈	분수·소수의 곱셈
$\frac{3}{4}+\frac{1}{6}=\frac{11}{12}$	$\frac{2}{3}×\frac{5}{8}=\frac{5}{12}$
	1.25×1.2=1.5

⑥

분수·소수의 나눗셈

$\frac{2}{5}÷\frac{4}{7}=\frac{7}{10}$ 9.72÷2.7=3.6

단계별 구성

유아/3단계

단계	권	주제
5세	1	1부터 5까지의 수
	2	6부터 9까지의 수
	3	1부터 9까지의 수
	4	덧셈과 뺄셈의 기초
6세	1	0부터 10까지의 수
	2	10까지의 수에서 더하기·빼기 1
	3	20까지의 수에서 더하기·빼기 1, 10
	4	20까지의 수에서 더하기·빼기 1, 2, 10
7세	1	합이 9까지의 덧셈
	2	9까지의 뺄셈과 덧셈·뺄셈
	3	50까지의 수에서 더하기·빼기 1, 2, 10
	4	받아올림·내림 없는 (두 자리 수±한 자리 수)

초등/6단계

단계	권	주제
초1	1	덧셈구구
	2	뺄셈구구
	3	편리한 계산 전략
	4	100까지의 수, 받아올림·내림 없는 (두 자리 수±두 자리 수)
초2	1	받아올림·내림 있는 (두 자리 수±한 자리 수)
	2	받아올림·내림 있는 (두 자리 수±두 자리 수)
	3	곱셈의 기초와 곱셈구구(1)
	4	곱셈구구(2)
초3	1	받아올림·내림 있는 (세 자리 수±세 자리 수)
	2	나눗셈구구
	3	곱셈과 나눗셈
	4	분수와 소수의 기초
초4	1	큰 수
	2	곱셈과 나눗셈
	3	분모가 같은 분수의 덧셈과 뺄셈
	4	소수의 덧셈과 뺄셈
초5	1	자연수의 혼합 계산
	2	약수와 배수, 약분과 통분
	3	분모가 다른 분수의 덧셈과 뺄셈
	4	분수의 곱셈, 소수의 곱셈
초6	1	분수의 나눗셈
	2	소수의 나눗셈
	3	비와 비율
	4	비례식과 비례배분

칸토의 연산 시리즈

- 연산의 원리부터 재미있는 퍼즐형 문제까지 다루는 기본 난이도의 연산 교재
- 나선형 반복 학습과 확장 커리큘럼
- [칸토의 연산] ➡ [응용 연산]으로 이어지는 기본·심화 연산 학습 설계
- 단계별 4권, 9단계 총 36권 구성
- 한 단계 4개월 완성
- 학년별 교과서 진도와 맞춤 병행

이 책의 구성과 특징

· 하루 2쪽, 매주 5일씩 4주 동안 완성하는 연산 프로그램이에요.
· 연령별 아이의 학습 눈높이와 학습 체력에 맞게 쉬운 난이도와 하루 10분 정도의 학습 분량으로 구성하였어요.

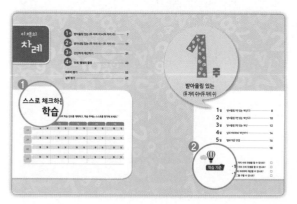

1 학습 안내 **무엇을 공부할까요?**

❶ 스스로 학습 진도를 계획하고 실천해 보세요.

❷ 이번 주에 꼭 알아야 할 학습 기준을 체크해요.
공부 전에 간단히 살펴보고, 한 주 공부가 끝나면 공부한 내용을 잘 알고 있는지 반드시 확인해 보세요.

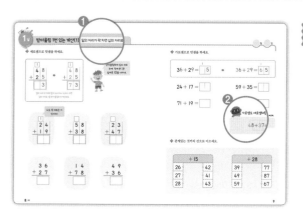

2 일일 학습 **매주 5일씩 4주 동안 공부해요.**

❶ 일일 학습 목표를 효율적으로 달성하기 위한 학습 목표 및 노하우를 담았어요. 무엇을 공부하는지 미리 알고 가는 공부는 목표 달성률이 훨씬 높답니다.

❷ 연산의 개념, 원리뿐만 아니라 궁금증을 해결할 수 있는 학습 노하우를 꼭 확인하세요.

3 확인 학습

이번 주 배운 내용을 잘 알고 있나요?

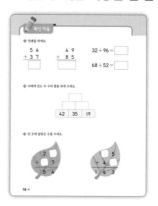

4 마무리 평가 + 실력 평가

4주 동안 배운 내용을 잘 알고 있나요?

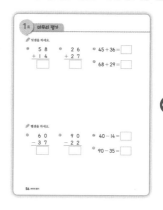

이 책의 차례

스스로 체크하는 학습 진도표

"일일 학습을 시작하기 전에 날짜를 기록하여 학습 진도를 계획하고, 학습 후에는 스스로를 평가해 보세요."

	1일		2일		3일		4일		5일	
1주	월	일	월	일	월	일	월	일	월	일
2주	월	일	월	일	월	일	월	일	월	일
3주	월	일	월	일	월	일	월	일	월	일
4주	월	일	월	일	월	일	월	일	월	일

1주

받아올림 있는
(두 자리 수)+(두 자리 수)

학습 기준

• 받아올림이 1번 있는 두 자리 수의 덧셈을 할 수 있나요?   ☐

• 받아올림이 2번 있는 두 자리 수의 덧셈을 할 수 있나요?   ☐

• 두 자리 수의 덧셈을 십의 자리부터 계산할 수 있나요?   ☐

• ☐가 있는 덧셈식에서 ☐를 구할 수 있나요?   ☐

받아올림 1번 있는 계산(1) 일의 자리가 꽉 차면 십의 자리로 1을 받아올려.

➕ 세로셈으로 덧셈을 하세요.

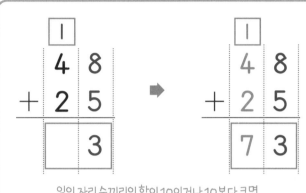

일의 자리 수끼리의 합이 10이거나 10보다 크면
십의 자리로 1을 받아올림하여 계산해요.

받아올림하여 십의 자리
위에 작게 쓴 **1**은
실제로 **10**을 나타내.

나도 꼭 더하는 거
잊지마!

$$\begin{array}{r} {}^{1}\ 2\ 4 \\ +\ 1\ 9 \\ \hline \end{array}$$

$$\begin{array}{r} 5\ 8 \\ +\ 3\ 8 \\ \hline \end{array}$$

$$\begin{array}{r} 2\ 3 \\ +\ 4\ 7 \\ \hline \end{array}$$

$$\begin{array}{r} 3\ 6 \\ +\ 2\ 7 \\ \hline \end{array}$$

$$\begin{array}{r} 1\ 4 \\ +\ 7\ 8 \\ \hline \end{array}$$

$$\begin{array}{r} 4\ 9 \\ +\ 3\ 6 \\ \hline \end{array}$$

➕ 가로셈으로 덧셈을 하세요.

$$36 + 29 = \boxed{\quad | \quad 5}$$ ➡ $$36 + 29 = \boxed{6 | 5}$$

$$24 + 17 = \boxed{\quad | \quad}$$ $$59 + 35 = \boxed{\quad | \quad}$$

$$71 + 19 = \boxed{\qquad}$$ $$26 + 46 = \boxed{\qquad}$$

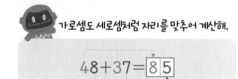

가로셈도 세로셈처럼 자리를 맞추어 계산해.

$$48 + 37 = \boxed{8 | 5}$$

➕ 관계있는 것끼리 선으로 이으세요.

+ 15	
26	42
27	41
28	43

+ 28	
39	77
49	87
59	67

2일 받아올림 1번 있는 계산(2) 십의 자리가 꽉 차면 백의 자리로 1을 받아올려.

➕ 세로셈으로 덧셈을 하세요.

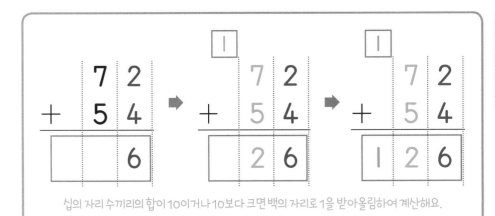

받아올림하여 백의 자리 위에 작게 쓴 1은 실제로 100을 나타내.

십의 자리 수끼리의 합이 10이거나 10보다 크면 백의 자리로 1을 받아올림하여 계산해요.

```
   8 5          5 8          6 3
 + 6 3        + 7 1        + 4 4
 _____       _____       _____

   9 4          3 3          7 2
 + 4 2        + 8 6        + 7 2
 _____       _____       _____
```

✚ 가로셈으로 덧셈을 하세요.

$62 + 74 =$ ☐☐ 6 ➡ $62 + 74 =$ 1 3 6

$21 + 82 =$ ☐

$73 + 46 =$ ☐

$92 + 93 =$ ☐

$85 + 52 =$ ☐

✚ 덧셈에 알맞은 길을 그리세요.

44
52 + 54 = 106
64

46
85 + 53 = 128
43

➕ 세로셈으로 덧셈을 하세요.

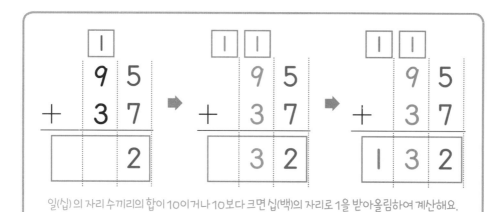

일(십)의 자리 수끼리의 합이 10이거나 10보다 크면 십(백)의 자리로 1을 받아올림하여 계산해요.

```
  □ □
    8 6
  + 4 9
  ┌──────┐
  │      │
  └──────┘
```

```
  □ □
    5 8
  + 9 4
  ┌──────┐
  │      │
  └──────┘
```

```
  □ □
    6 3
  + 7 7
  ┌──────┐
  │      │
  └──────┘
```

```
    6 5
  + 8 8
  ───────
```

```
    3 8
  + 6 9
  ───────
```

```
    4 9
  + 7 6
  ───────
```

➕ 알맞은 계산 결과를 찾아 선으로 이으세요.

$$
\begin{array}{r}
9\ 5 \\
+\ 2\ 8 \\
\hline
\end{array}
$$

142
122
132
123

$$
\begin{array}{r}
3\ 7 \\
+\ 8\ 5 \\
\hline
\end{array}
$$

$$
\begin{array}{r}
8\ 6 \\
+\ 5\ 6 \\
\hline
\end{array}
$$

$$
\begin{array}{r}
5\ 8 \\
+\ 7\ 4 \\
\hline
\end{array}
$$

➕ 가로셈으로 덧셈을 하세요.

$87 + 36 = \boxed{\ \ \ 3}$ ➡ $87 + 36 = \boxed{1\ 2\ 3}$

$68 + 85 = \boxed{\quad}$ $94 + 67 = \boxed{\quad}$

$56 + 76 = \boxed{\quad}$ $67 + 49 = \boxed{\quad}$

십의 자리부터 계산하기 일의 자리의 계산을 미리 눈으로 보고 십의 자리부터 답을 써 봐.

➕ 일의 자리의 합을 보고 십의 자리부터 덧셈을 하세요.

일의 자리 수의 합이 10보다 작은 경우

①6+2

$63 + 24 = \boxed{8 \; 7}$

3+4

$28 + 37 = \boxed{}$

$66 + 59 = \boxed{}$

일의 자리 수의 합이 10 또는 10보다 큰 경우

①2+3+1

$28 + 36 = \boxed{6 \; 4}$

②8+6의 일의 자리 수

$53 + 25 = \boxed{}$

$82 + 21 = \boxed{}$

➕ 받아올림이 있는 자리에 모두 색칠하세요.

$53 + 27$ ----

| 십 |
| 일 |

$85 + 34$ ----

| 십 |
| 일 |

$67 + 59$ ----

| 십 |
| 일 |

$76 + 16$ ----

| 십 |
| 일 |

➕ 아래에 있는 두 수의 합을 위에 쓰세요.

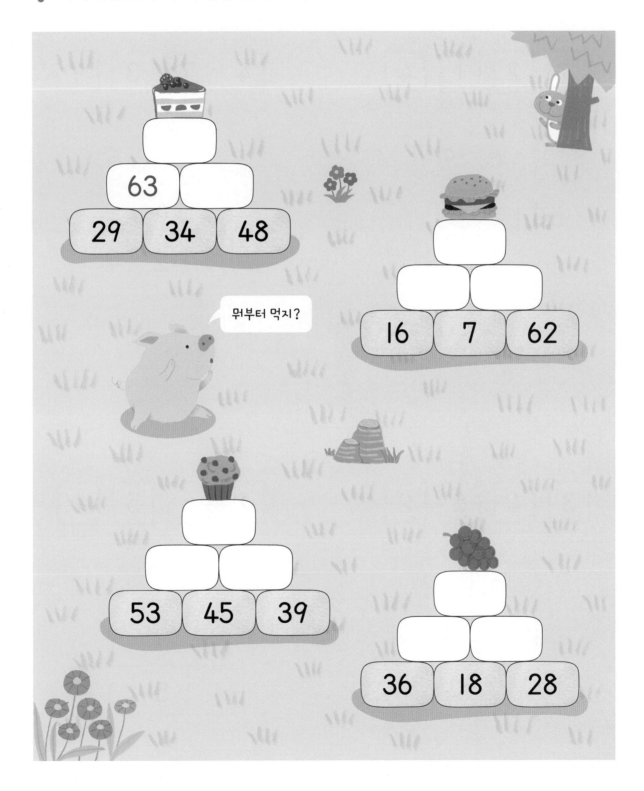

뭐부터 먹지?

63

29 34 48

16 7 62

53 45 39

36 18 28

5일 벌레 먹은 덧셈  은 벌레가 수를 먹은 것 같다고 해서 붙여진 이름이야.

♣ 수 4개 중에서 2개를 골라 빈칸에 알맞게 쓰세요.

| 3 | 2 | 1 | 4 |

```
    6 9
+ □ 3
─────
    8 □
```

| 4 | 7 | 3 | 9 |

```
    □ 5
+ 4 □
─────
  1 2 4
```

먼저 받아올림이 있는지
없는지 생각해야 해.

| 3 | 4 | 6 | 2 |

```
    3 □
+ □ 8
─────
  7 4
```

| 2 | 6 | 5 | 1 |

```
    □ 4
+ 9 9
─────
  □ 5 3
```

➕ 빈 곳에 알맞은 수를 쓰세요.

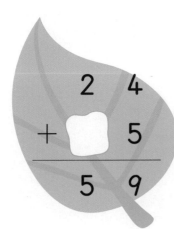

$$\begin{array}{r} 2\ 4 \\ +\ \boxed{\ }\ 5 \\ \hline 5\ 9 \end{array}$$

숫자 1개 먹었어.

$$\begin{array}{r} 4\ \boxed{\ } \\ +\ 2\ 8 \\ \hline 7\ 1 \end{array}$$

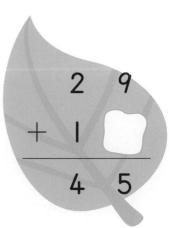

$$\begin{array}{r} 2\ 9 \\ +\ 1\ \boxed{\ } \\ \hline 4\ 5 \end{array}$$

숫자 2개 먹었어.

$$\begin{array}{r} \boxed{\ }\ 5 \\ +\ 4\ 5 \\ \hline 6\ \boxed{\ } \end{array}$$

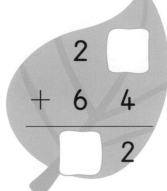

$$\begin{array}{r} 2\ \boxed{\ } \\ +\ 6\ 4 \\ \hline \ \ \ 2 \end{array}$$

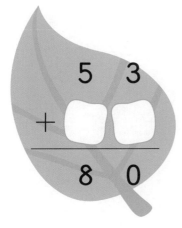

$$\begin{array}{r} 5\ 3 \\ +\ \boxed{\ }\ \boxed{\ } \\ \hline 8\ 0 \end{array}$$

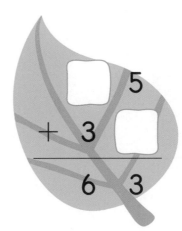

$$\begin{array}{r} \boxed{\ }\ 5 \\ +\ 3\ \boxed{\ } \\ \hline 6\ 3 \end{array}$$

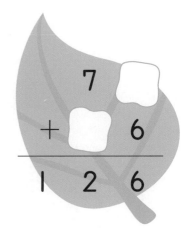

$$\begin{array}{r} 7\ \boxed{\ } \\ +\ \boxed{\ }\ 6 \\ \hline 1\ 2\ 6 \end{array}$$

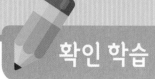
➕ 덧셈을 하세요.

```
    5 4           4 9
  + 3 7         + 8 5
  ┌─────┐       ┌─────┐
  │     │       │     │
  └─────┘       └─────┘
```

$32 + 96 = \boxed{}$

$68 + 52 = \boxed{}$

➕ 아래에 있는 두 수의 합을 위에 쓰세요.

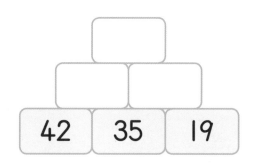

42 35 19

➕ 빈 곳에 알맞은 수를 쓰세요.

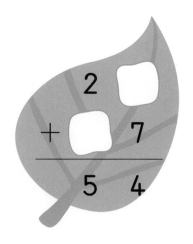

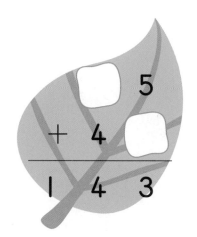

2주

받아내림 있는
(두 자리 수)-(두 자리 수)

학습 기준

• (몇십)-(몇십몇)을 계산할 수 있나요?   ☐

• 받아내림이 있는 두 자리 수의 뺄셈을 할 수 있나요?   ☐

• 두 자리 수의 뺄셈을 십의 자리부터 계산할 수 있나요?   ☐

• ☐가 있는 뺄셈식에서 ☐를 구할 수 있나요?   ☐

몇십에서 빼기   일의 자리 수에서 뺄수 없으면 십의 자리에서 10을 받아내려 빼.

➕ 세로셈으로 십의 자리에서 받아내림이 있는 뺄셈을 하세요.

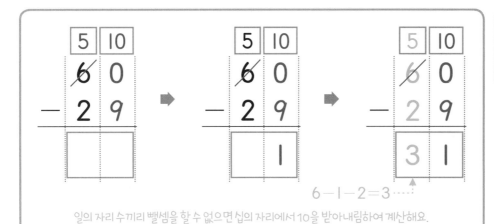

	5	10
	6̸	0
−	2	9

➡

	5	10
	6̸	0
−	2	9
		1

➡

	5̸	10
	6̸	0
−	2	9
	3	1

6 − 1 − 2 = 3 ……

일의 자리 수끼리 뺄셈을 할 수 없으면 십의 자리에서 10을 받아내림하여 계산해요.

십의 자리의 **5**는
받아내림하고
남은 수야.

	3	
	4̸	0
−	1	8

	7	0
−	2	3

	5	0
−	3	5

	6	0
−	4	7

	9	0
−	6	2

	8	0
−	3	6

➕ 가로셈으로 십의 자리에서 받아내림이 있는 뺄셈을 하세요.

$$\overset{5\ 10}{\cancel{6}0} - 18 = \boxed{\ 2}$$ ➡ $$\overset{5\ 10}{\cancel{6}0} - 18 = \boxed{4\ 2}$$

$$50 - 15 = \boxed{}$$

$$80 - 34 = \boxed{}$$

$$30 - 21 = \boxed{}$$

$$70 - 57 = \boxed{}$$

0에서 뺄 수 없다고
안 빼면 안 돼!

➕ 뺄셈을 하세요.

60
- 48 ➡
- 34 ➡
- 19 ➡

80
- 25 ➡
- 67 ➡
- 41 ➡

2일 받아내림 있는 계산 일의 자리에서 뺄 수 없으면 십의 자리에서 10을 받아내려.

✚ 세로셈으로 십의 자리에서 받아내림이 있는 뺄셈을 하세요.

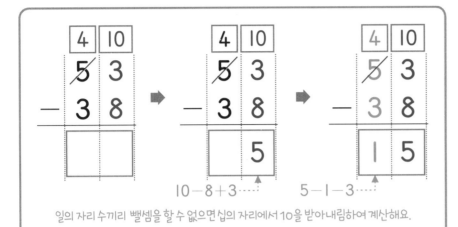

일의 자리 수끼리 뺄셈을 할 수 없으면 십의 자리에서 10을 받아내림하여 계산해요.

받아내림한 10에서 8을 빼고 3을 더하면 5야.

십의 자리에서 받은 10을 일의 자리에서 함께 계산해야 해.

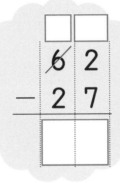

$$\begin{array}{r} 9\ 5 \\ -\ 4\ 6 \\ \hline \end{array}$$

2에서 8을 뺄 수 없다고 8에서 2를 빼면 안 돼요!

$$\begin{array}{r} 7\ 2 \\ -\ 5\ 8 \\ \hline 2\ 6 \end{array} \quad \begin{array}{r} 7\ 2 \\ -\ 5\ 8 \\ \hline 1\ 4 \end{array}$$

(✕)　　(○)

$$\begin{array}{r} 7\ 3 \\ -\ 3\ 9 \\ \hline \end{array}$$

$$\begin{array}{r} 8\ 6 \\ -\ 5\ 8 \\ \hline \end{array}$$

$$\begin{array}{r} 6\ 1 \\ -\ 4\ 5 \\ \hline \end{array}$$

➕ 계산 결과를 찾아 색칠하세요.

$$52 - 37$$

$$83 - 45$$

16 25 35 15

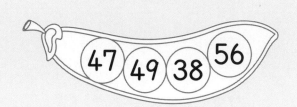

47 49 38 56

➕ 가로셈으로 뺄셈을 하세요.

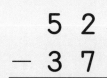

$$\overset{2\;10}{\cancel{3}2} - 19 = \boxed{ \vdots 3}$$ ➡ $$\overset{2\;10}{\cancel{3}2} - 19 = \boxed{1 \vdots 3}$$

$$43 - 15 = \boxed{}$$

$$81 - 34 = \boxed{}$$

$$76 - 28 = \boxed{}$$

$$92 - 57 = \boxed{}$$

➕ 일의 자리 수의 크기를 먼저 비교하여 십의 자리의 수부터 뺄셈을 하세요.

앞수의 일의 자리 수가 큰 경우

①6－2

$64 - 23 = \boxed{4 \ 1}$

②4－3

앞수의 일의 자리 수가 작은 경우

①8－5－1

$82 - 57 = \boxed{2 \ 5}$

②12－7의 일의 자리 수

$73 - 56 = \boxed{}$

$57 - 14 = \boxed{}$

$94 - 28 = \boxed{}$

$84 - 63 = \boxed{}$

➕ 가르기 하여 빈칸에 알맞은 수를 쓰세요.

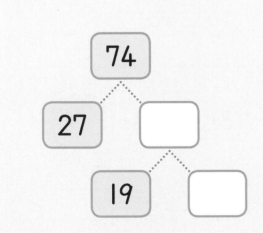

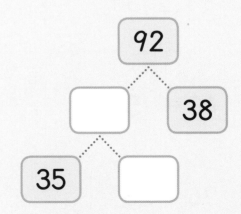

➕ 관계있는 것끼리 선으로 이으세요.

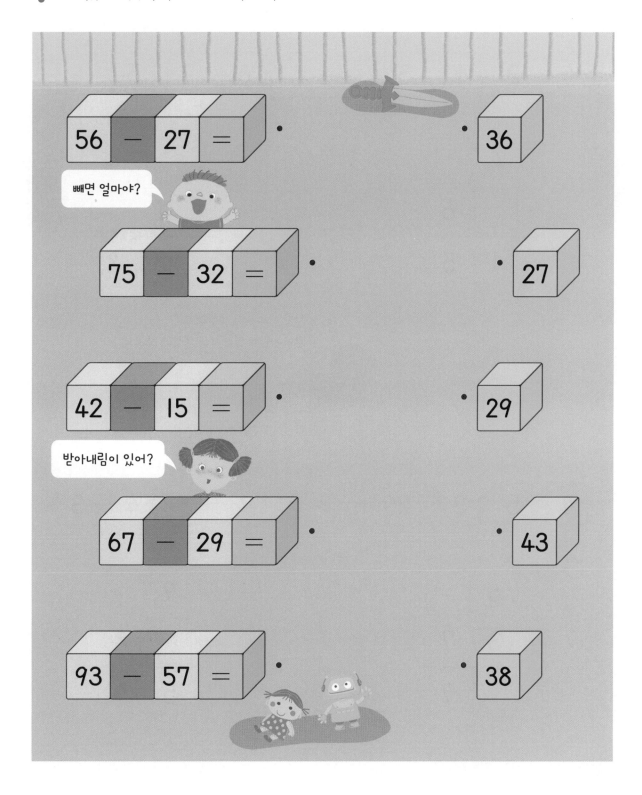

➕ 수 4개 중에서 2개를 골라 빈칸에 알맞게 쓰세요.

| 4 | 2 | 1 | 3 |

```
   4 □
 -   □ 6
   1   5
```

| 6 | 7 | 5 | 4 |

```
   □ 4
 - 1 □
   3 8
```

일의 자리부터 계산해야 해.
받아내림이 있는지도 생각해 보고!

| 4 | 5 | 3 | 2 |

```
   6 □
 - 3 7
   □ 7
```

| 1 | 2 | 4 | 3 |

```
   9 □
 - □ 8
   5 4
```

➕ 빈 곳에 알맞은 수를 쓰세요.

```
   5 □
 -  2 4
 ─────
   3 2
```

```
   6 1
 - □ 2
 ─────
   4 9
```

```
   8 3
 - 3 □
 ─────
   4 8
```

어떤 수가 있었지?

```
   □ 5
 - 3 8
 ─────
   2 □
```

```
   9 4
 - 5 □
 ─────
   □ 5
```

```
   7 □
 - □ 6
 ─────
   5 4
```

```
   □ 2
 - 4 □
 ─────
   3 7
```

➕ 올바른 식을 따라 알맞은 길을 그리세요.

$73+45$
$=128$

$47-34$
$=23$

$83-75$
$=9$

$57+67$
$=124$

$73-19$
$=54$

$22+28$
$=50$

$62+75$
$=127$

$84-45$
$=29$

$25+64$
$=99$

$81-39$
$=42$

$70-12$
$=48$

$42+19$
$=63$

$51-34$
$=16$

$37+65$
$=102$

$78+16$
$=94$

토끼, 화이팅!

➕ 수 배열표의 일부분입니다. 색칠한 칸에 들어갈 수를 이용하여 계산을 하세요.

11	12	13					18에 있어.		20
	23	24에 있어.							
						37			
			44						
								59	
				85					

덧셈, 뺄셈

⬛ + ⬛ = ▢   ⬛ − ⬛ = ▢

⬛ + ⬛ = ▢   ⬛ − ⬛ = ▢

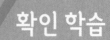

➕ 뺄셈을 하세요.

$$\begin{array}{r} 4\ 5 \\ -\ 1\ 9 \\ \hline \end{array}$$

$$\begin{array}{r} 9\ 6 \\ -\ 3\ 8 \\ \hline \end{array}$$

$72 - 26 = \boxed{}$

$64 - 39 = \boxed{}$

➕ 가르기 하여 빈칸에 알맞은 수를 쓰세요.

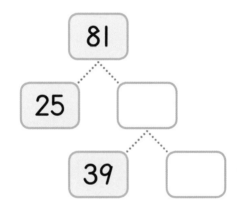

➕ 빈 곳에 알맞은 수를 쓰세요.

$$\begin{array}{r} 6\ 3 \\ -\ 2\ \boxed{} \\ \hline \boxed{}\ 8 \end{array}$$

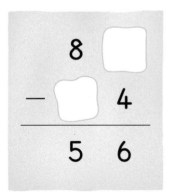

3주

간단하게 계산하기

학습 기준

• (두 자리 수)+(두 자리 수)에서 뒷수를 몇십으로 만들어 더할 수 있나요? ☐

• (두 자리 수)+(두 자리 수)에서 앞수 또는 뒷수를 몇십으로 만들어 더할 수 있나요? ☐

• (두 자리 수)-(두 자리 수)에서 뒷수를 몇십으로 만들어 뺄 수 있나요? ☐

• (두 자리 수)-(두 자리 수)에서 앞수 또는 뒷수를 몇십으로 만들어 뺄 수 있나요? ☐

몇십 만들어 더하기 는 뒷수를 몇십으로 만들어 더하는 방법이야.

➕ 뒷수를 몇십으로 만들어 덧셈을 하세요.

$$54 + 29 = \boxed{84} - 1$$

30   −1

$$= \boxed{83}$$

29를 더하는 것은 30을 더한 다음 1을 빼는 것과 같아.

$$+29 \qquad +30$$

$$\underline{\sqcup} = \underline{\sqcup} -1$$

$$36 + 18 = \boxed{} - 2$$

20   −2

$$= \boxed{}$$

$$63 + 59 = \boxed{} - 1$$

60   −1

$$= \boxed{}$$

$$55 + 37 = \boxed{} - 3$$

40   −3

$$= \boxed{}$$

$$94 + 48 = \boxed{} - 2$$

50   −2

$$= \boxed{}$$

➕ 빈칸에 알맞은 수를 쓰세요.

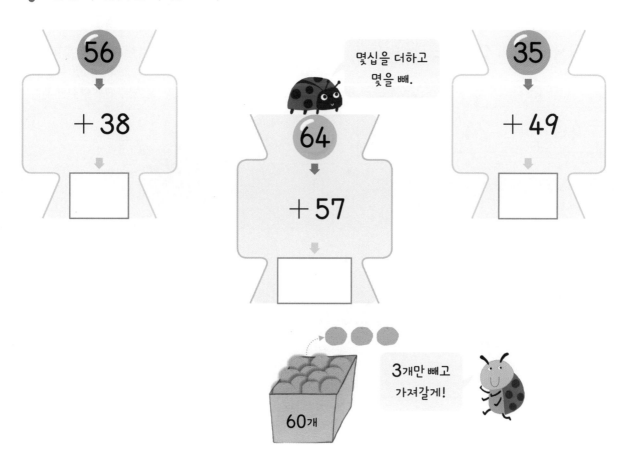

56
↓
+38
☐

몇십을 더하고
몇을 빼.

64
↓
+57
☐

35
↓
+49
☐

3개만 빼고
가져갈게!

60개

➕ 빈칸에 알맞은 수를 쓰세요.

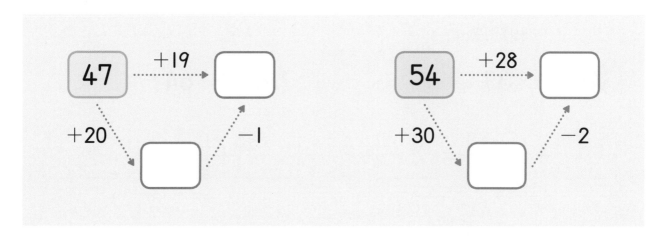

47 ‒‒+19‒→ ☐
+20 ↘   ↗ ‒1
      ☐

54 ‒‒+28‒→ ☐
+30 ↘   ↗ ‒2
      ☐

같은 수를 더하고 빼는 덧셈 몇십에 가까운 수를 몇십으로 만들어 더하면 쉬워.

💠 몇십에 가까운 수를 몇십으로 만들어 덧셈을 하세요.

$$38 \ + \ 26 \ = \ \boxed{64}$$

↓ (+2) ↓ −2 ↑

$$\boxed{40} \ + \ \boxed{24} \ = \ \boxed{64}$$

38은 40에 가까우니까 38에 2를 더해.

계산 결과가 변하지 않으려면 더한 수만큼 뒷수에서 빼줘야 해.

$$29 \ + \ 47 \ = \ \boxed{}$$

↓ (+1) ↓ −1 ↑

$$\boxed{} \ + \ \boxed{} \ = \ \boxed{}$$

$$65 \ + \ 58 \ = \ \boxed{}$$

↓ −2 ↓ (+2) ↑

$$\boxed{} \ + \ \boxed{} \ = \ \boxed{}$$

몇십을 만들어!

$$46 \ + \ 39 \ = \ \boxed{}$$

↓ ↓ ↑

$$\boxed{} \ + \ \boxed{} \ = \ \boxed{}$$

$$78 \ + \ 64 \ = \ \boxed{}$$

↓ ↓ ↑

$$\boxed{} \ + \ \boxed{} \ = \ \boxed{}$$

➕ 계산을 하여 알맞은 수에 색칠하세요.

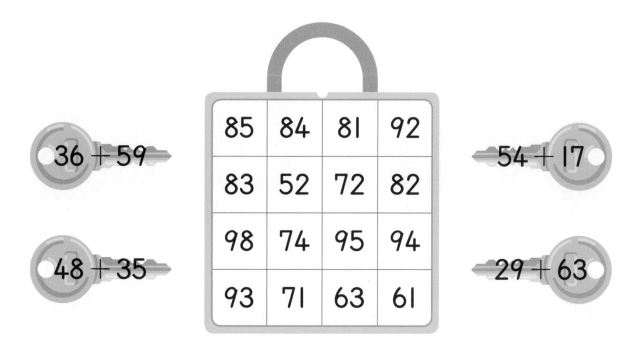

➕ 관계있는 것끼리 선으로 이으세요.

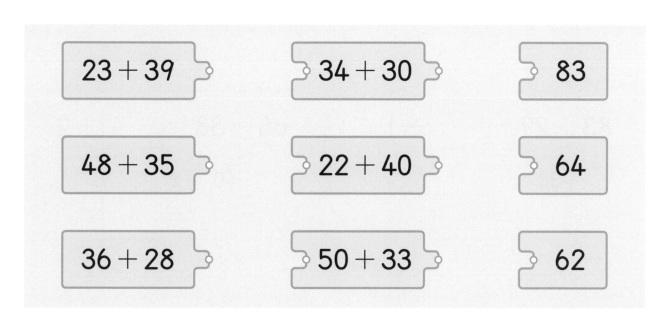

➕ 뒷수를 몇십으로 만들어 뺄셈을 하세요.

$$75 - 39 = \boxed{35} + 1$$

$-40 \quad +1$

$$= \boxed{36}$$

39를 빼는 것은 40을 뺀 다음 1을 더하는 것과 같아.

$$-39 \qquad -40$$

$$\sqcup \!\!\!\!\! = \sqcup \quad +1$$

$$54 - 17 = \boxed{} + 3$$

$-20 \quad +3$

$$= \boxed{}$$

$$94 - 48 = \boxed{} + 2$$

$-50 \quad +2$

$$= \boxed{}$$

$$83 - 29 = \boxed{} + 1$$

$-30 \quad +1$

$$= \boxed{}$$

$$66 - 38 = \boxed{} + 2$$

$-40 \quad +2$

$$= \boxed{}$$

➕ 이웃한 두 수의 차를 ☆ 안에 쓰세요.

53-29는 얼마야?

'차'는
(큰 수)-(작은 수)

4일 **같은 수를 더하거나 빼는 뺄셈** 몇십에 가까운 수를 몇십으로 만들어 빼면 쉬워.

➕ 몇십에 가까운 수를 몇십으로 만들어 뺄셈을 하세요.

$$35 - 18 = \boxed{17}$$

$$\boxed{37} \; (+2) - \boxed{20} \; (+2) = \boxed{17}$$

18은 20에 가까우니까 18에 2를 더해.

뺄셈에서 계산 결과가 변하지 않으려면 더한 수만큼 다른 수에도 똑같이 더해야 해.

$$74 - 49 = \boxed{}$$

$$\boxed{} \; (+1) - \boxed{} \; (+1) = \boxed{}$$

$$52 - 36 = \boxed{}$$

$$\boxed{} \; (-2) - \boxed{} \; (-2) = \boxed{}$$

몇십을 만들어!

$$86 - 29 = \boxed{}$$

$$\boxed{} - \boxed{} = \boxed{}$$

$$61 - 16 = \boxed{}$$

$$\boxed{} - \boxed{} = \boxed{}$$

✚ 각 모둠의 가장 큰 수와 가장 작은 수를 각각 쓰고, 두 수의 차를 구하세요.

72 83	29 18
61 43 74	31 26 35
82 65	17 23

川 川

가장 큰 수 가장 작은 수

☐ — ☐ = ☐

가장 작은 수 가장 큰 수

☐ — ☐ = ☐

✚ 차가 오른쪽 수가 되는 두 수를 찾아 색칠하세요.

| 42 | 39 |
| 74 | 17 |

35

| 43 | 29 |
| 61 | 48 |

13

39

(두 자리 수) ± (두 자리 수) 연습(2) 암산으로 할 수 있을 정도로 연습해!

➕ 사다리 타기를 하여 만나는 두 수의 합 또는 차를 구하세요.

아래 또는 옆으로만
길을 갈 수 있어.

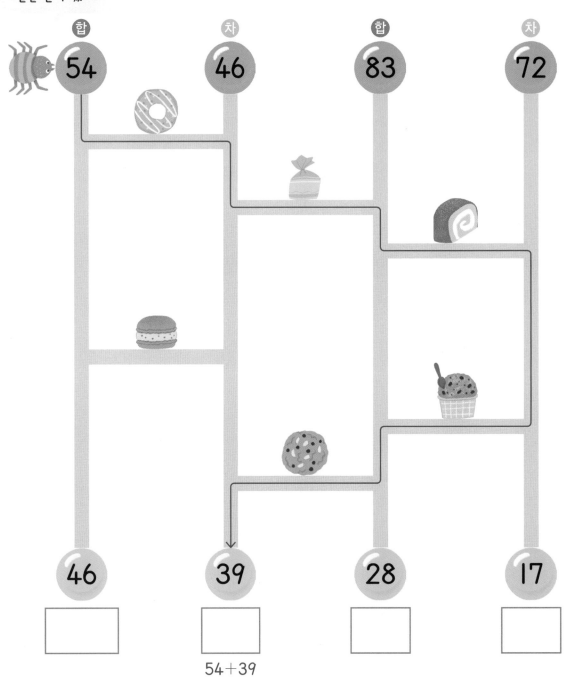

54+39

➕ 가로 열쇠와 세로 열쇠를 풀어 빈칸에 알맞은 수를 쓰세요.

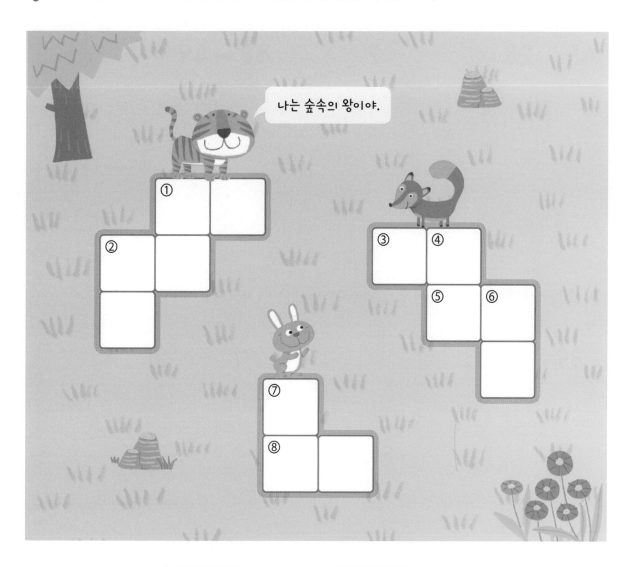

나는 숲속의 왕이야.

가로 열쇠	세로 열쇠
① 14+28	① 72−25
② 83−26	② 19+36
③ 90−29	④ 42−27
⑤ 26+27	⑥ 61−23
⑧ 64−18	⑦ 37+37

➕ 뒷수를 몇십으로 만들어 계산을 하세요.

$$45 + 28 = \boxed{} - 2$$
$$30 \quad -2$$
$$= \boxed{}$$

$$83 - 49 = \boxed{} + 1$$
$$-50 \quad +1$$
$$= \boxed{}$$

➕ 몇십에 가까운 수를 몇십으로 만들어 계산을 하세요.

$$39 + 46 = \boxed{}$$
$$\boxed{} + \boxed{} = \boxed{}$$

$$91 - 24 = \boxed{}$$
$$\boxed{} - \boxed{} = \boxed{}$$

➕ 계산을 하세요.

$$56 + 38 = \boxed{}$$

$$62 - 45 = \boxed{}$$

$$94 - 59 = \boxed{}$$

$$29 + 17 = \boxed{}$$

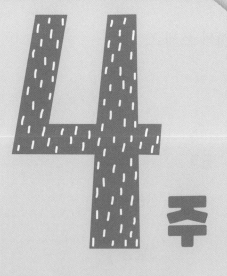

4주

덧셈, 뺄셈의 활용

학습 기준

• 덧셈식을 뺄셈식으로, 뺄셈식을 덧셈식으로 바꾸어 나타낼 수 있나요? ☐

• □가 있는 덧셈식과 뺄셈식에서 □를 구할 수 있나요? ☐

• 가장 큰 합과 가장 작은 합을 만들 수 있나요? ☐

• 가장 큰 차와 가장 작은 차를 만들 수 있나요? ☐

➕ 그림을 보고 덧셈식과 뺄셈식을 2개씩 쓰세요.

 수 막대 아래 두 수의 합이 위의 수야.

53	
15	38

덧셈식

$$\boxed{15} + \boxed{38} = \boxed{53}$$

$$\boxed{} + \boxed{} = \boxed{}$$

뺄셈식

$$\boxed{} - \boxed{} = \boxed{}$$

$$\boxed{} - \boxed{} = \boxed{}$$

수 막대 위의 수에서 아래 수 하나를 빼면 뺄셈식.

65	
39	26

덧셈식

$$\boxed{} + \boxed{} = \boxed{}$$

$$\boxed{} + \boxed{} = \boxed{}$$

뺄셈식

$$\boxed{} - \boxed{} = \boxed{}$$

$$\boxed{} - \boxed{} = \boxed{}$$

➕ 덧셈식은 뺄셈식으로, 뺄셈식은 덧셈식으로 각각 **2**개씩 나타내세요.

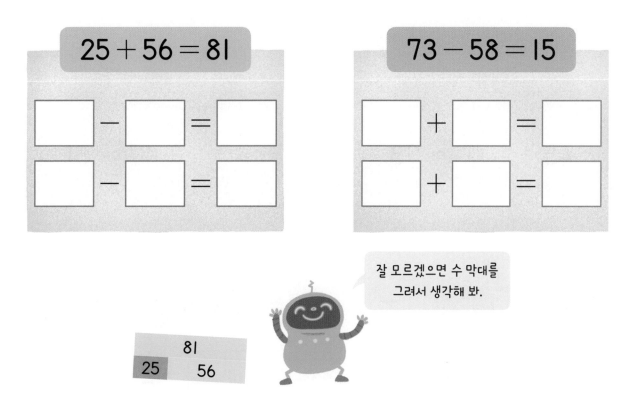

$$25 + 56 = 81$$

| □ | − | □ | = | □ |
| □ | − | □ | = | □ |

$$73 - 58 = 15$$

| □ | + | □ | = | □ |
| □ | + | □ | = | □ |

잘 모르겠으면 수 막대를 그려서 생각해 봐.

| | 81 | |
| 25 | | 56 |

➕ 세 수를 한 번씩 사용하여 덧셈식과 뺄셈식을 각각 **2**개씩 만드세요.

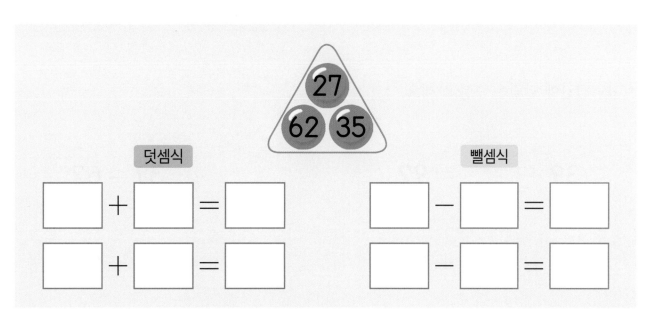

27
62 35

덧셈식

| □ | + | □ | = | □ |
| □ | + | □ | = | □ |

뺄셈식

| □ | − | □ | = | □ |
| □ | − | □ | = | □ |

➕ 수 막대를 보고 □ 안에 알맞은 수를 구하세요.

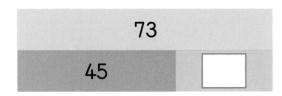

$$45 + \boxed{} = 73$$

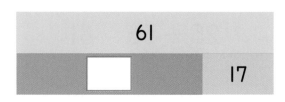

$$\boxed{} + 17 = 61$$

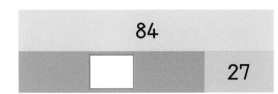

$$84 - \boxed{} = 27$$

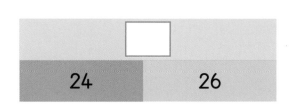

$$\boxed{} - 24 = 26$$

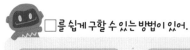
□를 쉽게 구할 수 있는 방법이 있어.

□가 덧셈식에 있는 경우	□가 뺄셈식에 있는 경우
뺄셈식으로 바꾸기	덧셈식 또는 뺄셈식으로 바꾸기

➕ 빈칸에 알맞은 수를 쓰세요.

$$39 + \boxed{} = 92 \qquad \boxed{} + 37 = 62$$

$$54 - \boxed{} = 28 \qquad \boxed{} - 16 = 57$$

➕ 빈칸에 알맞은 수를 쓰세요.

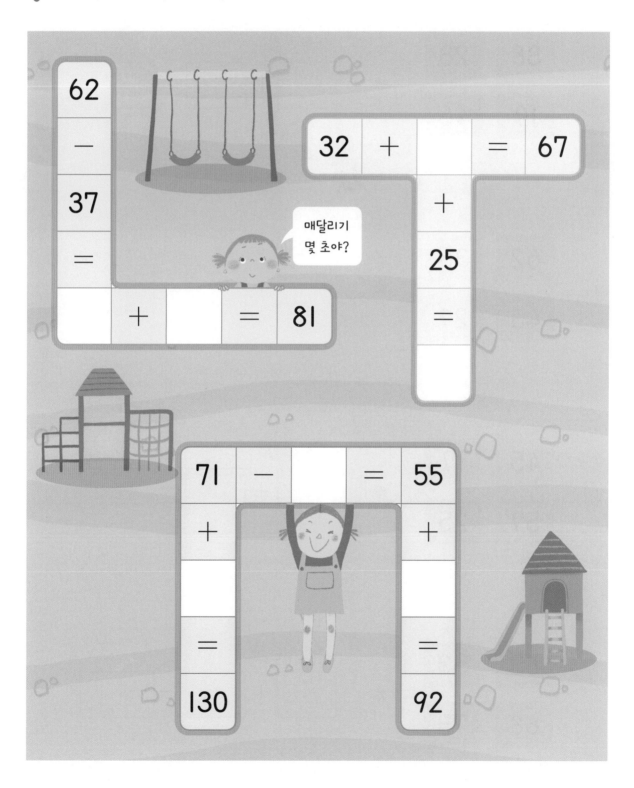

62 − 37 =

+ = 81

32 + = 67

+

25

=

매달리기 몇 초야?

71 − = 55

+

=

130

+

=

92

가장 큰 합, 가장 작은 합 만들기 두 수를 둘 다 크게 또는 둘 다 작게 해야 해.

➕ 수 카드 2장을 사용하여 가장 큰 합 또는 가장 작은 합을 만드세요.

38	23
19	46

가장 큰 합

□ + □ = □

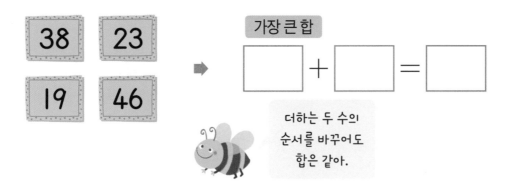

더하는 두 수의
순서를 바꾸어도
합은 같아.

62	36
43	29

가장 작은 합

□ + □ = □

45	17
57	25

가장 큰 합

□ + □ = □

83	53
68	75

가장 작은 합

□ + □ = □

➕ 수 카드를 한 번씩 모두 사용하여 가장 큰 합 또는 가장 작은 합을 만드세요.

   6 3 1 4

    5 9 2 6

가장 큰 합

가장 작은 합

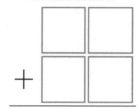

큰 합을 만들려면
두 수를 모두 크게
만들어야 해.

일, 십의 같은
자리끼리 위치가
바뀌어도 합은 같아.

8 2 6 3

5 3 4 7

가장 큰 합

가장 작은 합

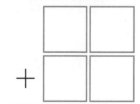

4일 **가장 큰 차, 가장 작은 차 만들기** 를 잘 하려면 두 수의 십의 자리의 수부터 정해야 해.

✚ 수 구슬을 2개씩 골라 가장 큰 차와 가장 작은 차를 만드세요.

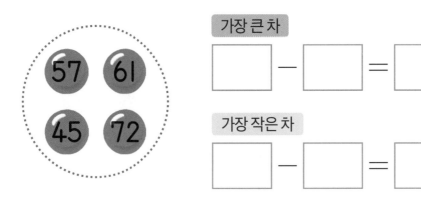

가장 큰 차

☐ ─ ☐ = ☐

가장 작은 차

☐ ─ ☐ = ☐

가장 큰 차

☐ ─ ☐ = ☐

가장 작은 차

☐ ─ ☐ = ☐

➕ 수 카드를 한 번씩 모두 사용하여 가장 큰 차 또는 가장 작은 차를 만드세요.

  6

가장 큰 차

 7 9

가장 큰 차

 차가 작으려면 수직선에서 두 수가 가까이 있어야 해.

차가 크다	차가 작다
26 39	26 34

2 8 5 7

가장 작은 차

3 6 8 4

가장 작은 차

5_일 목표수 만들기 | 계산 결과를 보고 주어진 4개의 수로 덧셈식, 뺄셈식을 만들어 봐.

♣ 주어진 수 카드를 한 번씩 모두 사용하여 올바른 식을 만드세요.

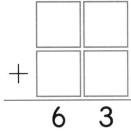

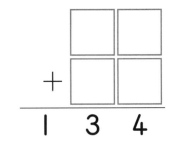

잘 모르겠으면
일의 자리 수부터
찾아봐.

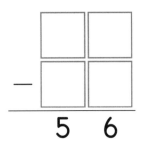

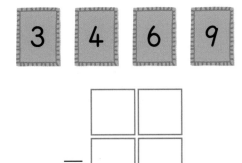

➕ 계산기의 색칠한 버튼을 알맞은 순서로 눌러 계산 결과가 나오도록 만드세요.

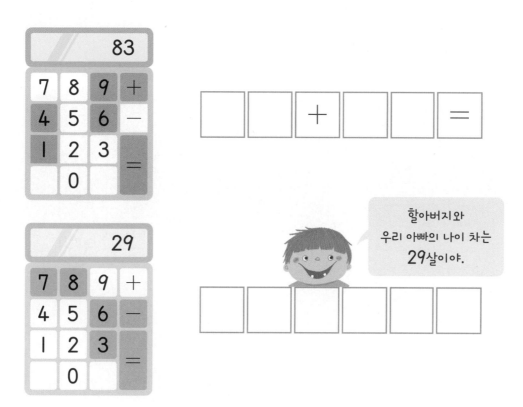

| | | + | | | = |

할아버지와 우리 아빠의 나이 차는 29살이야.

| | | | | | |

➕ 주어진 수 중에서 두 수를 골라 알맞은 덧셈식과 뺄셈식을 만드세요.

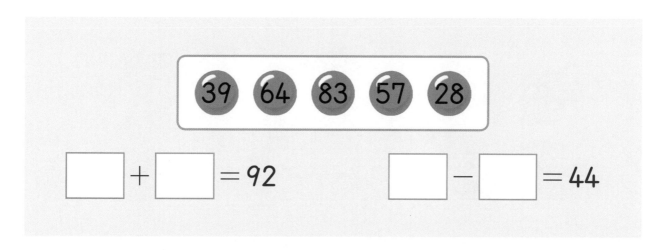

39 64 83 57 28

☐ + ☐ = 92   ☐ − ☐ = 44

빈칸에 알맞은 수를 쓰세요.

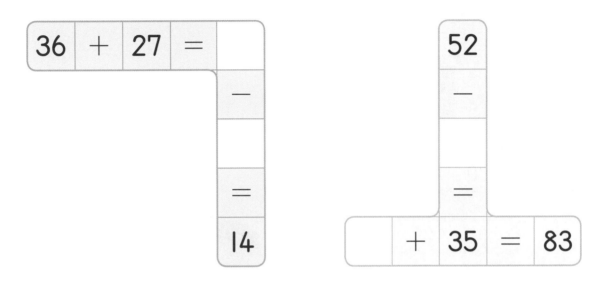

| 36 | + | 27 | = | |

수 카드를 한 번씩 모두 사용하여 주어진 합과 차를 만드세요.

| 5 | 7 |
| 3 | 9 |

가장 큰 합

가장 작은 합

| 2 | 4 |
| 8 | 1 |

가장 큰 차

가장 작은 차

마무리
평가

마무리 평가에서는 1, 2, 3, 4주 차의 유형이 순서대로 나옵니다.

문제가 틀리면 몇 주 차인지 확인하여 반드시 다시 한번 복습합니다.

✏️ 덧셈을 하세요.

①
$$\begin{array}{r} 5\ 8 \\ +\ 1\ 4 \\ \hline \end{array}$$

②
$$\begin{array}{r} 2\ 6 \\ +\ 2\ 7 \\ \hline \end{array}$$

③ $45 + 36 = \boxed{}$

④ $68 + 29 = \boxed{}$

✏️ 덧셈에 알맞은 길을 그리세요.

⑤ 🐰
18
$43 + 27 = 60$
17

⑥ 🐢
57
$25 + 58 = 83$
56

✏️ 뺄셈을 하세요.

⑦
$$\begin{array}{r} 6\ 0 \\ -\ 3\ 7 \\ \hline \end{array}$$

⑧
$$\begin{array}{r} 9\ 0 \\ -\ 2\ 2 \\ \hline \end{array}$$

⑨ $40 - 14 = \boxed{}$

⑩ $70 - 35 = \boxed{}$

✏️ 뒷수를 몇십으로 만들어 덧셈을 하세요.

⑪

$$45 + 29 = \boxed{} - 1$$

30   −1

$$= \boxed{}$$

⑫

$$74 + 58 = \boxed{} - 2$$

60   −2

$$= \boxed{}$$

✏️ 덧셈식은 뺄셈식으로, 뺄셈식은 덧셈식으로 각각 2개씩 나타내세요.

⑬

$$67 + 26 = 93$$

$$\boxed{} - \boxed{} = \boxed{}$$

$$\boxed{} - \boxed{} = \boxed{}$$

⑭

$$86 - 39 = 47$$

$$\boxed{} + \boxed{} = \boxed{}$$

$$\boxed{} + \boxed{} = \boxed{}$$

✏️ 덧셈을 하세요.

①
```
   7 4
+  6 2
```

②
```
   5 3
+  9 6
```

③ $62 + 52 = $ ⬚

④ $83 + 85 = $ ⬚

✏️ 뺄셈을 하세요.

⑤
```
   6 2
-  2 6
```

⑥
```
   8 6
-  1 7
```

⑦ $97 - 39 = $ ⬚

⑧ $61 - 47 = $ ⬚

✏️ 뺄셈에 알맞은 길을 그리세요.

⑨
```
      38
54 -  28  = 26
      27
```

⑩
```
      34
73 -  36  = 38
      35
```

✏️ 몇십에 가까운 수를 몇십으로 만들어 덧셈을 하세요.

⑪

$$35 + 29 = \boxed{}$$

↓ −1   ↓ +1   ↑

$$\boxed{} + \boxed{} = \boxed{}$$

⑫

$$89 + 46 = \boxed{}$$

↓   ↓

$$\boxed{} + \boxed{} = \boxed{}$$

✏️ 빈칸에 알맞은 수를 쓰세요.

⑬

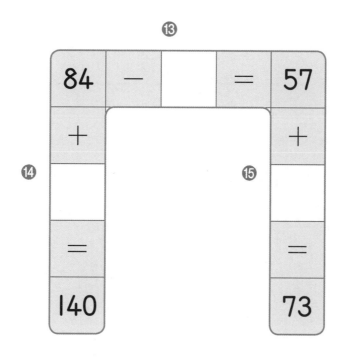

84	−		=	57
+				+

⑭   ⑮

=				=
140				73

✏️ 덧셈을 하세요.

❶
```
  7 5
+ 4 8
```

❷
```
  9 4
+ 6 7
```

❸ 68 + 86 = ☐

❹ 29 + 79 = ☐

✏️ 가르기 하여 ◯ 안에 알맞은 수를 쓰세요.

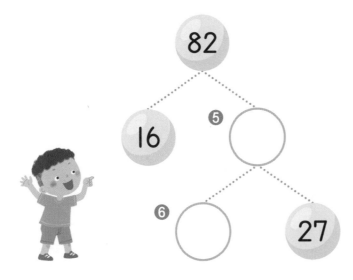

✏️ 뒷수를 몇십으로 만들어 뺄셈을 하세요.

❼

$56 - 29 = \boxed{} + 1$

$-30 \quad +1$

$= \boxed{}$

❽

$94 - 48 = \boxed{} + 2$

$= \boxed{}$

✏️ 수 카드를 한 번씩 모두 사용하여 가장 큰 합 또는 가장 작은 합을 만드세요.

❾

가장 큰 합

❿

가장 작은 합

61

✏️ 덧셈을 하세요.

❶ $58 + 29 =$ ☐

❷ $43 + 66 =$ ☐

❸ $72 + 14 =$ ☐

❹ $87 + 46 =$ ☐

✏️ 빈 곳에 알맞은 수를 쓰세요.

❺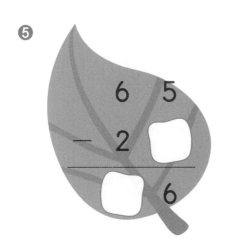

❻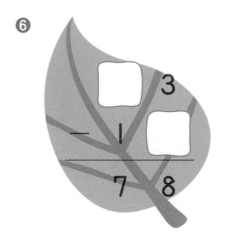

✏️ 몇십에 가까운 수를 몇십으로 만들어 뺄셈을 하세요.

❼

$$74 - 18 = \boxed{}$$

 +2   +2

$$\boxed{} - \boxed{} = \boxed{}$$

❽

$$51 - 24 = \boxed{}$$

$$\boxed{} - \boxed{} = \boxed{}$$

✏️ 수 카드를 한 번씩 모두 사용하여 가장 큰 차 또는 가장 작은 차를 만드세요.

❾

가장 큰 차

$$\boxed{}\boxed{} \\ -\boxed{}\boxed{}$$

❿

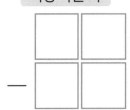

가장 작은 차

$$\boxed{}\boxed{} \\ -\boxed{}\boxed{}$$

63

✏️ 빈 곳에 알맞은 수를 쓰세요.

❶

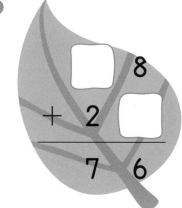

$$\begin{array}{r} \square\ 8 \\ +\ 2\ \square \\ \hline 7\ 6 \end{array}$$

❷

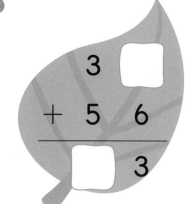

$$\begin{array}{r} 3\ \square \\ +\ 5\ 6 \\ \hline \square\ 3 \end{array}$$

✏️ 아래에 있는 두 수를 더하여 위에 쓰세요.

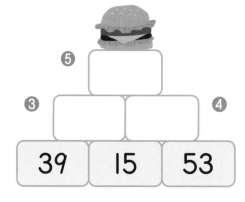

❺

❸　　　❹

| 39 | 15 | 53 |

✎ 차가 오른쪽 수가 되는 두 수를 찾아 색칠하세요.

❻

52	28
95	62

34

❼

53	67
82	98

15

✎ 계산기의 색칠한 버튼을 알맞은 순서로 눌러 계산 결과가 나오도록 만드세요.

❽

81

7	8	9	+
4	5	6	−
1	2	3	=
	0		

⬚ ⬚ ⬚ ⬚ ⬚ ⬚

❾

57

7	8	9	+
4	5	6	−
1	2	3	=
	0		

⬚ ⬚ ⬚ ⬚ ⬚ ⬚

MEMO

실력 평가

초2_2권

시간	2분	문제수	20개
배점		1문제 5점 / 총100점	

날짜: _____ 월 _____ 일

이름: _____

점수: _____ 점

사고가 자라는 수학
씨투엠

① $36 + 45 =$

② $83 + 21 =$

③ $46 + 79 =$

④ $15 + 63 =$

⑤ $98 + 92 =$

⑥ $72 - 46 =$

⑦ $64 - 29 =$

⑧ $50 - 31 =$

⑨ $83 - 15 =$

⑩ $96 - 52 =$

⑪ $83 + 97 =$

⑫ $67 - 28 =$

⑬ $79 + 74 =$

⑭ $90 - 62 =$

⑮ $73 - 16 =$

⑯ $58 + 85 =$

⑰ $82 - 33 =$

⑱ $28 + 94 =$

⑲ $51 - 26 =$

⑳ $95 + 89 =$

유아·초등 수학의 필수 개념
교과연계 수백판 100

유아·초등수학에서 꼭 해야 할 필수 교구 수백판 100

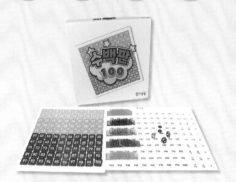

수백판

+

워크북(2권)

❶ 편리한 설계로
유아부터 초등까지
누구나 쉽게 이용가능!

❷ 보다 다양한 활동을 위해
읽기판과 천판
추가!

❸ 수칩 구분이 쉬워
정리와 보관까지
한번에!

❹ 초등수학교과를 연계한 체계적인 워크북과
함께하면 스스로 실력이 쑥쑥!

**100%
교과 연계
워크북**

교과연계 단위 소개와 배워
야 할 학습목표를 한눈에 볼
수 있습니다.

씨투엠이 만들면 기준이 됩니다!

정답

초등 연산의 기준

칸토의 연산

받아올림·내림 있는
(두 자리 수±두 자리 수)

사고가 자라는 수학
씨투엠

초2 · 2권

초등 연산의 기준

칸토의 연산

정답

받아올림·내림 있는

(두 자리 수 ± 두 자리 수)

1주: 받아올림 있는 (두 자리 수)+(두 자리 수)

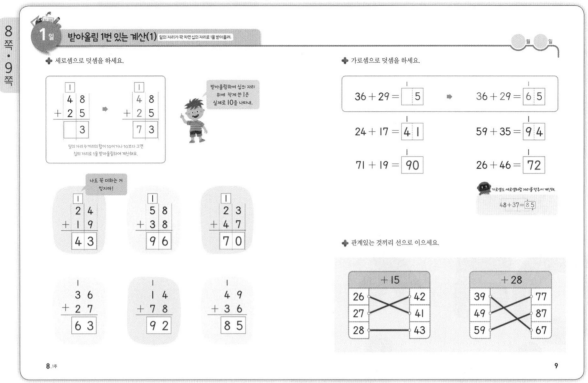

8
쪽·9
쪽

1일 받아올림 1번 있는 계산(1) 일의 자리가 꽉 차면 십의 자리로 1을 받아올려.

월 일

➕ 세로셈으로 덧셈을 하세요.

➕ 가로셈으로 덧셈을 하세요.

$36+29=\boxed{5}$ ➡ $36+29=\boxed{65}$

$24+17=\boxed{41}$　　$59+35=\boxed{94}$

$71+19=\boxed{90}$　　$26+46=\boxed{72}$

$48+37=\boxed{85}$

➕ 관계있는 것끼리 선으로 이으세요.

+15		+28	
26	42	39	77
27	41	49	87
28	43	59	67

8.1주

9

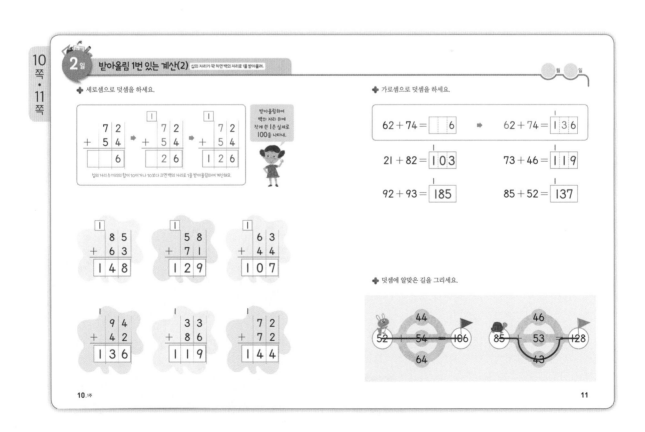

10
쪽·11
쪽

2일 받아올림 1번 있는 계산(2) 십의 자리가 꽉 차면 백의 자리로 1을 받아올려.

월 일

➕ 세로셈으로 덧셈을 하세요.

➕ 가로셈으로 덧셈을 하세요.

$62+74=\boxed{6}$ ➡ $62+74=\boxed{136}$

$21+82=\boxed{103}$　　$73+46=\boxed{119}$

$92+93=\boxed{185}$　　$85+52=\boxed{137}$

➕ 덧셈에 알맞은 길을 그리세요.

10.1주

11

2

3일 받아올림 2번 있는 계산
일, 십의 자리에서 모두 받아올림이 있는 덧셈을 연습해 보자.

월 일

✛ 세로셈으로 덧셈을 하세요.

```
  ① ①        ① ①        ① ①
    9 5        9 5        9 5
  + 3 7      + 3 7      + 3 7
  ━━━━       ━━━━       ━━━━
      2        3 2      1 3 2
```

일(십)의 자리 수끼리의 합이 10이거나 10보다 크면 십(백)의 자리로 1을 받아올림하여 계산해요.

```
  ① ①          ① ①          ① ①
    8 6          5 8          6 3
  + 4 9        + 9 4        + 7 7
  ━━━━         ━━━━         ━━━━
  1 3 5        1 5 2        1 4 0
```

```
    6 5          3 8          4 9
  + 8 8        + 6 9        + 7 6
  ━━━━         ━━━━         ━━━━
  1 5 3        1 0 7        1 2 5
```

✛ 알맞은 계산 결과를 찾아 선으로 이으세요.

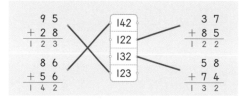

```
    9 5                    3 7
  + 2 8      142         + 8 5
  ━━━━                   ━━━━
  1 2 3      122         1 2 2

                132
    8 6                    5 8
  + 5 6      123         + 7 4
  ━━━━                   ━━━━
  1 4 2                  1 3 2
```

✛ 가로셈으로 덧셈을 하세요.

```
┌─────────────────────────────────────┐
│              ①                  ① ①   │
│  87 + 36 =   3      ➡  87 + 36 = 1 2 3│
└─────────────────────────────────────┘
```

```
          ① ①                    ① ①
68 + 85 = 1 5 3        94 + 67 = 1 6 1
```

```
          ① ①                    ① ①
56 + 76 = 1 3 2        67 + 49 = 1 1 6
```

4일 십의 자리부터 계산하기
일의 자리의 계산을 미리 눈으로 보고 십의 자리부터 답을 써 봐.

월 일

✛ 일의 자리의 합을 보고 십의 자리부터 덧셈을 하세요.

일의 자리 수의 합이 10보다 작은 경우

```
       ① 6 + 2
63 + 24 = 8 7
       3 + 4
```

```
28 + 37 = 6 5
         ① ②
```

```
66 + 59 = 125
```

일의 자리 수의 합이 10 또는 10보다 큰 경우

```
       ① 2 + 3 + 1
28 + 36 = 6 4
       ② 8 + 6의 일의 자리 수
```

```
53 + 25 = 7 8
         ① ②
```

```
82 + 21 = 103
```

✛ 받아올림이 있는 자리에 모두 색칠하세요.

```
┌─────────┐  ┌십┐
│ 53 + 27 │  │■■│   (일)
└─────────┘  └─┘
    80
```

```
┌─────────┐  ┌십┐
│ 85 + 34 │  │■■│
└─────────┘  ┌─┐
   119       │일│
```

```
┌─────────┐  ┌십┐
│ 67 + 59 │  │■■│
└─────────┘  ┌─┐
   126       │일│
```

```
┌─────────┐  ┌십┐
│ 76 + 16 │  │  │
└─────────┘  ┌─┐
    92       │일│
```

✛ 아래에 있는 두 수의 합을 위에 쓰세요.

```
   145
 63   82
29  34  48
```

```
   92
 23   69
16   7   62
```

뭐부터 먹지?

```
   182
 98   84
53  45  39
```

```
   100
 54   46
36  18  28
```

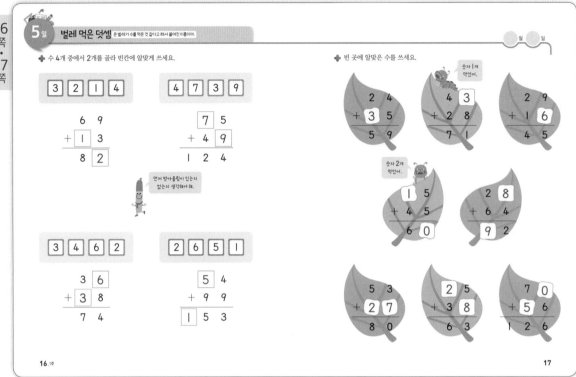

16쪽·17쪽

5일 벌레 먹은 덧셈 은 벌레가 수를 먹은 것 같다고 해서 붙여진 이름이야.

➕ 수 4개 중에서 2개를 골라 빈칸에 알맞게 쓰세요.

3 2 1 4

```
  6 9
+ 1 3
-----
  8 2
```

4 7 3 9

```
  7 5
+ 4 9
-----
1 2 4
```

먼저 받아올림이 있는지 없는지 생각해야 해.

3 4 6 2

```
  3 6
+ 3 8
-----
  7 4
```

2 6 5 1

```
  5 4
+ 9 9
-----
1 5 3
```

➕ 빈 곳에 알맞은 수를 쓰세요.

숫자 1개 먹었어.

```
  2 4      4 3      2 9
+ 3 5    + 2 8    + 1 6
-----    -----    -----
  5 9      7 1      4 5
```

숫자 2개 먹었어.

```
  1 5      2 8
+ 4 5    + 6 4
-----    -----
  6 0      9 2
```

```
  5 3      2 5      7 0
+ 2 7    + 3 8    + 5 6
-----    -----    -----
  8 0      6 3    1 2 6
```

16 .1주   17

18쪽

✏️ 확인 학습

➕ 덧셈을 하세요.

```
  5 4       4 9
+ 3 7     + 8 5
-----     -----
  9 1     1 3 4
```

32 + 96 = 128

68 + 52 = 120

➕ 아래에 있는 두 수의 합을 위에 쓰세요.

```
      131
    77  54
  42  35  19
```

➕ 빈 곳에 알맞은 수를 쓰세요.

```
  2 7       9 5
+ 2 7     + 4 8
-----     -----
  5 4     1 4 3
```

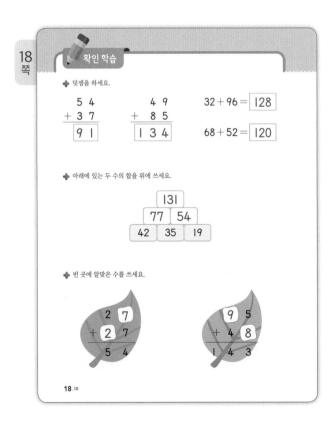

18 .1주

1주

4

2주: 받아내림 있는 (두 자리 수) - (두 자리 수)

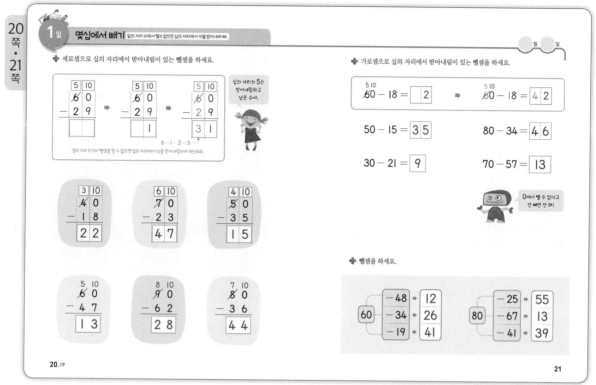

1일 몇십에서 빼기 일의 자리 수에서 뺄 수 없으면 십의 자리에서 10을 받아내려 빼.

➕ 세로셈으로 십의 자리에서 받아내림이 있는 뺄셈을 하세요.

➕ 가로셈으로 십의 자리에서 받아내림이 있는 뺄셈을 하세요.

➕ 뺄셈을 하세요.

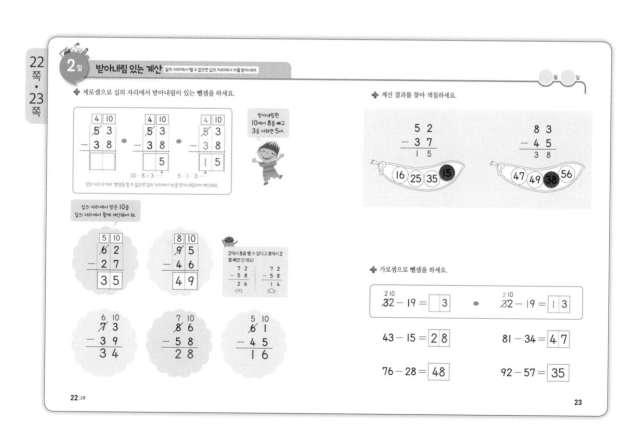

2일 받아내림 있는 계산 일의 자리에서 뺄 수 없으면 십의 자리에서 10을 받아내려.

➕ 세로셈으로 십의 자리에서 받아내림이 있는 뺄셈을 하세요.

➕ 계산 결과를 찾아 색칠하세요.

➕ 가로셈으로 뺄셈을 하세요.

3일 **십의 자리부터 계산하기** 일의 자리의 계산을 미리 눈으로 보고 십의 자리부터 답을 써 봐.

월 일

✚ 일의 자리 수의 크기를 먼저 비교하여 십의 자리의 수부터 뺄셈을 하세요.

앞수의 일의 자리 수가 큰 경우

①6 – 2
$64 - 23 = \boxed{4}\,\boxed{1}$
②4 – 3

①②
$73 - 56 = \boxed{1}\,\boxed{7}$

$94 - 28 = \boxed{66}$

앞수의 일의 자리 수가 작은 경우

①8 – 5 – 1
$82 - 57 = \boxed{2}\,\boxed{5}$
②12 – 7의 일의 자리 수

①②
$57 - 14 = \boxed{4}\,\boxed{3}$

$84 - 63 = \boxed{21}$

✚ 가르기 하여 빈칸에 알맞은 수를 쓰세요.

✚ 관계있는 것끼리 선으로 이으세요.

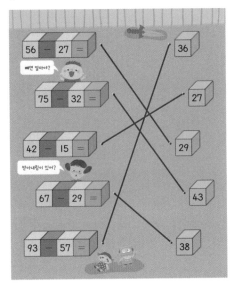

$56 - 27 =$ 빼면 얼마야?
$75 - 32 =$
$42 - 15 =$ 받아내림이 있어?
$67 - 29 =$
$93 - 57 =$

36
27
29
43
38

24 .2주

25

4일 **벌레 먹은 뺄셈** □안의 수를 구하기 전에 받아내림이 있는지 없는지를 먼저 생각해야 해.

월 일

✚ 수 4개 중에서 2개를 골라 빈칸에 알맞게 쓰세요.

$\boxed{4}\ \boxed{2}\ \boxed{1}\ \boxed{3}$

$\begin{array}{r} 4\ \boxed{1} \\ -\ \boxed{2}\ 6 \\ \hline 1\ 5 \end{array}$

$\boxed{6}\ \boxed{7}\ \boxed{5}\ \boxed{4}$

$\begin{array}{r} 5\ 4 \\ -\ \boxed{1}\ 6 \\ \hline 3\ 8 \end{array}$

일의 자리부터 계산해야 해.
받아내림이 있는지도 생각해 보고!

$\boxed{4}\ \boxed{5}\ \boxed{3}\ \boxed{2}$

$\begin{array}{r} 6\ \boxed{4} \\ -\ 3\ 7 \\ \hline \boxed{2}\ 7 \end{array}$

$\boxed{1}\ \boxed{2}\ \boxed{4}\ \boxed{3}$

$\begin{array}{r} 9\ 2 \\ -\ \boxed{3}\ 8 \\ \hline 5\ 4 \end{array}$

✚ 빈 곳에 알맞은 수를 쓰세요.

$\begin{array}{r} 5\ \boxed{6} \\ -\ 2\ 4 \\ \hline 3\ 2 \end{array}$

$\begin{array}{r} 6\ 1 \\ -\ \boxed{1}\ 2 \\ \hline 4\ 9 \end{array}$

$\begin{array}{r} 8\ 3 \\ -\ 3\ \boxed{5} \\ \hline 4\ 8 \end{array}$

어떤 수가 있었지?

$\begin{array}{r} 6\ 5 \\ -\ 3\ 8 \\ \hline 2\ \boxed{7} \end{array}$

$\begin{array}{r} 9\ 4 \\ -\ 5\ \boxed{9} \\ \hline 3\ 5 \end{array}$

$\begin{array}{r} 7\ 0 \\ -\ 1\ 6 \\ \hline 5\ 4 \end{array}$

$\begin{array}{r} 8\ 2 \\ -\ 4\ \boxed{5} \\ \hline 3\ 7 \end{array}$

26 .2주

27

6

5일 (두 자리 수)±(두 자리 수) 연습(1) 받아올림, 받아내림이 있는지 잘 생각해서 계산해 봐.

월 일

➕ 올바른 식을 따라 알맞은 길을 그리세요.

73+45 =128	47−34 =23	83−75 =9
57+67 =124	73−19 =54	22+28 =50	62+75 =127
84−45 =29	25+64 =99	81−39 =42	70−12 =48
42+19 =63	51−34 =16	37+65 =102	78+16 =94

토끼, 화이팅!

➕ 수 배열표의 일부분입니다. 색칠한 칸에 들어갈 수를 이용하여 계산을 하세요.

11	12	13			18에 있어.		20
		23	24에 있어.				
					37		
			44				
						59	
			85				

덧셈, 뺄셈

■+■ = 98
41+57

■−■ = 33
72−39

■+■ = 127
39+88

■−■ = 29
70−41

✏️ **확인 학습**

➕ 뺄셈을 하세요.

```
  4 5        9 6
- 1 9      - 3 8
-----      -----
  2 6        5 8
```

72−26 = 46

64−39 = 25

➕ 가르기 하여 빈칸에 알맞은 수를 쓰세요.

81
25   56
39   17

➕ 빈 곳에 알맞은 수를 쓰세요.

```
  6 3        8 0
- 2 5      - 2 4
-----      -----
  3 8        5 6
```

2주

3주: 간단하게 계산하기

1일 몇십 만들어 더하기 는 뒷수를 몇십으로 만들어 더하는 방법이야.

♦ 뒷수를 몇십으로 만들어 덧셈을 하세요.

$54 + 29 = \boxed{84} - 1$
$30 \quad -1$
$= \boxed{83}$

$36 + 18 = \boxed{56} - 2$
$20 \quad -2$
$= \boxed{54}$

$63 + 59 = \boxed{123} - 1$
$60 \quad -1$
$= \boxed{122}$

$55 + 37 = \boxed{95} - 3$
$40 \quad -3$
$= \boxed{92}$

$94 + 48 = \boxed{144} - 2$
$50 \quad -2$
$= \boxed{142}$

♦ 빈칸에 알맞은 수를 쓰세요.

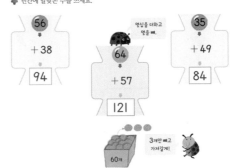

56
$+38$
94

멱십을 더하고
멱을 빼.

64
$+57$
121

35
$+49$
84

3개만 빼고
가져갈게!
60개

♦ 빈칸에 알맞은 수를 쓰세요.

$47 \xrightarrow{+19} \boxed{66}$
$+20 \searrow \quad \boxed{67} \dashrightarrow -1$

$54 \xrightarrow{+28} \boxed{82}$
$+30 \searrow \quad \boxed{84} \dashrightarrow -2$

2일 같은 수를 더하고 빼는 덧셈 몇십에 가까운 수를 몇십으로 만들어 더하면 쉬워.

♦ 몇십에 가까운 수를 몇십으로 만들어 덧셈을 하세요.

$38 + 26 = \boxed{64}$
$\boxed{40} + \boxed{24} = \boxed{64}$

38은 40에 가까우니까
38에 2를 더해.

계산 결과가 변하지
않으려면 더한 수만큼
뒷수에서 빼야 해.

$29 + 47 = \boxed{76}$
$\boxed{30} + \boxed{46} = \boxed{76}$

$65 + 58 = \boxed{123}$
$\boxed{63} + \boxed{60} = \boxed{123}$

몇십을 만들어!

$46 + 39 = \boxed{85}$
$\boxed{45} + \boxed{40} = \boxed{85}$

$78 + 64 = \boxed{142}$
$\boxed{80} + \boxed{62} = \boxed{142}$

♦ 계산을 하여 알맞은 수에 색칠하세요.

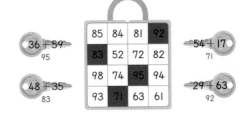

$36 + 59$
95

$54 + 17$
71

$48 + 35$
83

$29 + 63$
92

85	84	81	92
83	52	72	82
98	74	95	94
93	71	63	61

♦ 관계있는 것끼리 선으로 이으세요.

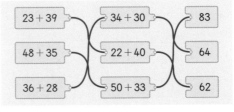

$23 + 39$ — $34 + 30$ — 83
$48 + 35$ — $22 + 40$ — 64
$36 + 28$ — $50 + 33$ — 62

 **3일 몇십 만들어 빼기** 뒷수를 몇십으로 만들어 빼는 방법이야.

월　일

➕ 뒷수를 몇십으로 만들어 뺄셈을 하세요.

$75 - 39 = \boxed{35} + 1$
$-40 \quad +1$
$= \boxed{36}$

39를 빼는 것은 40을 빼고 1을 더하는 것과 같아.
$-39 \atop \underline{\cup} = -40 \atop \underline{\cup} +1$

$54 - 17 = \boxed{34} + 3$
$-20 \quad +3$
$= \boxed{37}$

$94 - 48 = \boxed{44} + 2$
$-50 \quad +2$
$= \boxed{46}$

$83 - 29 = \boxed{53} + 1$
$-30 \quad +1$
$= \boxed{54}$

$66 - 38 = \boxed{26} + 2$
$-40 \quad +2$
$= \boxed{28}$

➕ 이웃한 두 수의 차를 ☆ 안에 쓰세요.

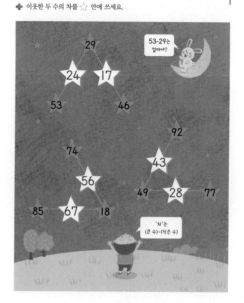

53-29는 얼마야?

'차'는 (큰 수)-(작은 수)

 4일 같은 수를 더하거나 빼는 뺄셈 몇십에 가까운 수를 몇십으로 만들어 빼면 쉬워.

월　일

➕ 몇십에 가까운 수를 몇십으로 만들어 뺄셈을 하세요.

$35 - 18 = \boxed{17}$
$+2 \quad +2$
$\boxed{37} - \boxed{20} = \boxed{17}$

18은 20에 가까우니까 18에 2를 더해.

뺄셈에서 계산 결과가 변하지 않으려면 더한 수만큼 다른 수에도 똑같이 더해야 해.

$74 - 49 = \boxed{25}$
$+1 \quad +1$
$\boxed{75} - \boxed{50} = \boxed{25}$

$52 - 36 = \boxed{16}$
$-2 \quad -2$
$\boxed{50} - \boxed{34} = \boxed{16}$

몇십을 만들어!

$86 - 29 = \boxed{57}$
$+1 \quad +1$
$\boxed{87} - \boxed{30} = \boxed{57}$

$61 - 16 = \boxed{45}$
$-1 \quad -1$
$\boxed{60} - \boxed{15} = \boxed{45}$

➕ 각 모둠의 가장 큰 수와 가장 작은 수를 각각 쓰고, 두 수의 차를 구하세요.

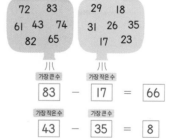

72	83
61	43	74
82	65

29	18
31	26	35
17	23

가장 큰 수　　가장 작은 수
$\boxed{83} - \boxed{17} = \boxed{66}$

가장 작은 수　　가장 큰 수
$\boxed{43} - \boxed{35} = \boxed{8}$

➕ 차가 오른쪽 수가 되는 두 수를 찾아 색칠하세요.

| 42 | 39 |
| 74 | 17 |
35

| 43 | 29 |
| 61 | 48 |
13

40쪽·41쪽

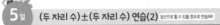

5일 (두 자리 수)±(두 자리 수) 연습(2) 암산으로 할 수 있을 정도로 연습해!

월 일

✚ 사다리 타기를 하여 만나는 두 수의 합 또는 차를 구하세요.

아래 또는 옆으로만 길을 갈 수 있어.

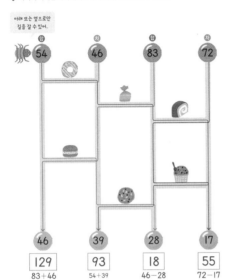

54　46　83　72

46	39	28	17
129	93	18	55
83+46	54+39	46−28	72−17

✚ 가로 열쇠와 세로 열쇠를 풀어 빈칸에 알맞은 수를 쓰세요.

나는 숲속의 왕이야.

① 4 2
② 5 7
　 5

③ 6 1
⑤ 5 3 ⑥
　 8

⑦ 7
⑧ 4 6

가로 열쇠	세로 열쇠
① 14+28	① 72−25
② 83−26	② 19+36
③ 90−29	④ 42−27
⑤ 26+27	⑥ 61−23
⑧ 64−18	⑦ 37+37

40 _3주

41

42쪽

✏ **확인 학습**

✚ 뒷수를 몇십으로 만들어 계산을 하세요.

$45 + 28 = \boxed{75} - 2$
$\quad 30 \quad -2$
$\quad = \boxed{73}$

$83 - 49 = \boxed{33} + 1$
$\quad -50 \quad +1$
$\quad = \boxed{34}$

✚ 몇십에 가까운 수를 몇십으로 만들어 계산을 하세요.

$39 + 46 = \boxed{85}$
$\boxed{40} + \boxed{45} = \boxed{85}$

$91 - 24 = \boxed{67}$
$\boxed{90} - \boxed{23} = \boxed{67}$

✚ 계산을 하세요.

$56 + 38 = \boxed{94}$

$62 - 45 = \boxed{17}$

$94 - 59 = \boxed{35}$

$29 + 17 = \boxed{46}$

42 _3주

3주

10

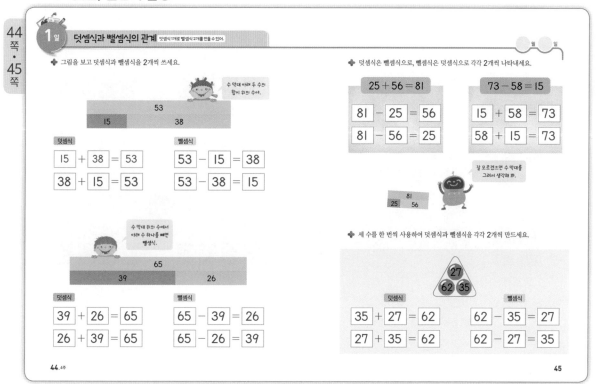

1일 덧셈식과 뺄셈식의 관계

그림을 보고 덧셈식과 뺄셈식을 2개씩 쓰세요.

53
15   38

덧셈식
$15 + 38 = 53$
$38 + 15 = 53$

뺄셈식
$53 - 15 = 38$
$53 - 38 = 15$

65
39   26

덧셈식
$39 + 26 = 65$
$26 + 39 = 65$

뺄셈식
$65 - 39 = 26$
$65 - 26 = 39$

덧셈식은 뺄셈식으로, 뺄셈식은 덧셈식으로 각각 2개씩 나타내세요.

$25 + 56 = 81$
$81 - 25 = 56$
$81 - 56 = 25$

$73 - 58 = 15$
$15 + 58 = 73$
$58 + 15 = 73$

81
25   56

세 수를 한 번씩 사용하여 덧셈식과 뺄셈식을 각각 2개씩 만드세요.

27
62 35

덧셈식
$35 + 27 = 62$
$27 + 35 = 62$

뺄셈식
$62 - 35 = 27$
$62 - 27 = 35$

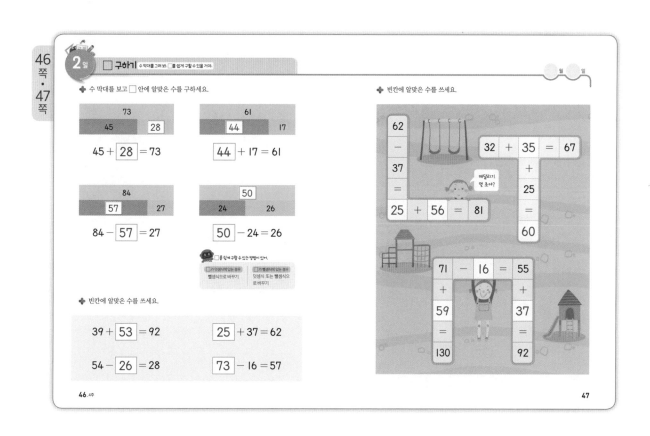

2일 □ 구하기

수 막대를 보고 □ 안에 알맞은 수를 구하세요.

73
45   28
$45 + \boxed{28} = 73$

61
44   17
$\boxed{44} + 17 = 61$

84
57   27
$84 - \boxed{57} = 27$

50
24   26
$\boxed{50} - 24 = 26$

빈칸에 알맞은 수를 쓰세요.

$39 + \boxed{53} = 92$
$25 + 37 = 62$

$54 - \boxed{26} = 28$
$73 - 16 = 57$

빈칸에 알맞은 수를 쓰세요.

62
−
37
=
25

$32 + 35 = 67$
+
25
=
60

$25 + 56 = 81$

$71 - 16 = 55$
+
59
=
130

+
37
=
92

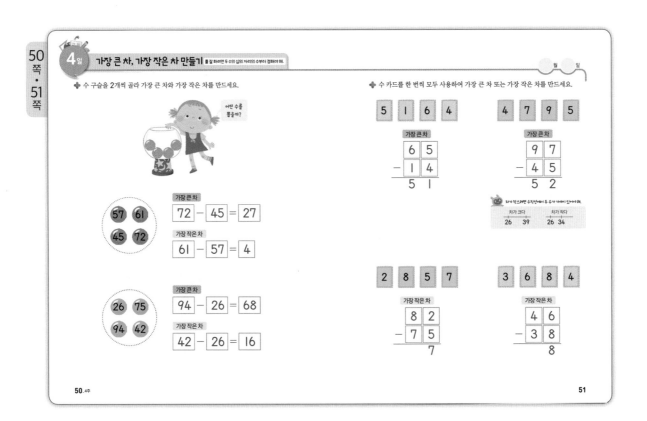

3일 가장 큰 합, 가장 작은 합 만들기 두 수를 둘 다 크게 또는 둘 다 작게 해야 해.

♣ 수 카드 2장을 사용하여 가장 큰 합 또는 가장 작은 합을 만드세요.

| 38 | 23 |
| 19 | 46 |

가장 큰 합
➡예 $46 + 38 = 84$

더하는 두 수의 순서를 바꾸어도 합은 같아.

| 62 | 36 |
| 43 | 29 |

가장 작은 합
➡예 $36 + 29 = 65$

| 45 | 17 |
| 57 | 25 |

가장 큰 합
➡예 $57 + 45 = 102$

| 83 | 53 |
| 68 | 75 |

가장 작은 합
➡예 $68 + 53 = 121$

♣ 수 카드를 한 번씩 모두 사용하여 가장 큰 합 또는 가장 작은 합을 만드세요.

| 6 | 3 | 1 | 4 |

가장 큰 합
예
```
  6 1
+ 4 3
-----
1 0 4
```

| 5 | 9 | 2 | 6 |

가장 작은 합
예
```
  2 6
+ 5 9
-----
  8 5
```

큰 합을 만들려면 두 수를 모두 크게 만들어야 해.

일, 십의 같은 자리끼리 위치가 바뀌어도 합은 같아.

| 8 | 2 | 6 | 3 |

가장 큰 합
예
```
  8 3
+ 6 2
-----
1 4 5
```

| 5 | 3 | 4 | 7 |

가장 작은 합
예
```
  3 5
+ 4 7
-----
  8 2
```

4일 가장 큰 차, 가장 작은 차 만들기 잘 하려면 두 수의 십의 자리의 수부터 정해야 해.

♣ 수 구슬을 2개씩 골라 가장 큰 차와 가장 작은 차를 만드세요.

어떤 수를 뽑을까?

| 57 | 61 |
| 45 | 72 |

가장 큰 차
$72 - 45 = 27$
가장 작은 차
$61 - 57 = 4$

| 26 | 75 |
| 94 | 42 |

가장 큰 차
$94 - 26 = 68$
가장 작은 차
$42 - 26 = 16$

♣ 수 카드를 한 번씩 모두 사용하여 가장 큰 차 또는 가장 작은 차를 만드세요.

| 5 | 1 | 6 | 4 |

가장 큰 차
```
  6 5
- 1 4
-----
  5 1
```

| 4 | 7 | 9 | 5 |

가장 큰 차
```
  9 7
- 4 5
-----
  5 2
```

차가 작으려면 수직선에서 두 수가 가까이 있어야 해.

| 차가 크다 | 차가 작다 |
| 26   39 | 26 34 |

| 2 | 8 | 5 | 7 |

가장 작은 차
```
  8 2
- 7 5
-----
    7
```

| 3 | 6 | 8 | 4 |

가장 작은 차
```
  4 6
- 3 8
-----
    8
```

48 .4주

49

50 .4주

51

12

5일 목표수 만들기
계산 결과를 보고 주어진 4개의 수로 덧셈식, 뺄셈식을 만들어 봐.

월 일

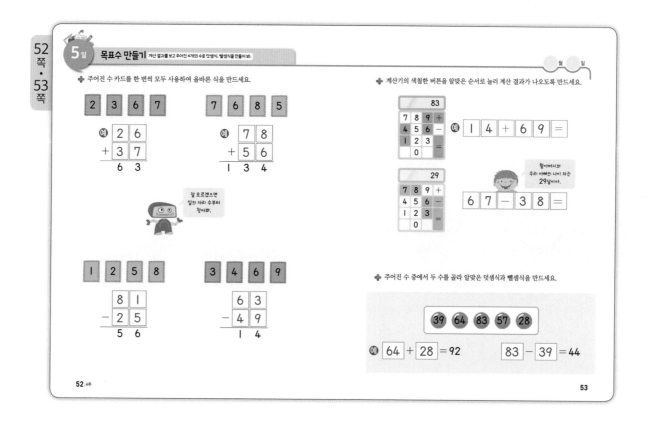

✚ 주어진 수 카드를 한 번씩 모두 사용하여 올바른 식을 만드세요.

| 2 | 3 | 6 | 7 |

예
$$\begin{array}{r} 2\ 6 \\ +\ 3\ 7 \\ \hline 6\ 3 \end{array}$$

| 7 | 6 | 8 | 5 |

예
$$\begin{array}{r} 7\ 8 \\ +\ 5\ 6 \\ \hline 1\ 3\ 4 \end{array}$$

잘 모르겠으면 일의 자리 수부터 찾아봐.

| 1 | 2 | 5 | 8 |

$$\begin{array}{r} 8\ 1 \\ -\ 2\ 5 \\ \hline 5\ 6 \end{array}$$

| 3 | 4 | 6 | 9 |

$$\begin{array}{r} 6\ 3 \\ -\ 4\ 9 \\ \hline 1\ 4 \end{array}$$

✚ 계산기의 색칠한 버튼을 알맞은 순서로 눌러 계산 결과가 나오도록 만드세요.

83

예 [1] [4] [+] [6] [9] [=]

할아버지와 우리 아빠의 나이 차는 29살이야.

29

[6] [7] [-] [3] [8] [=]

✚ 주어진 수 중에서 두 수를 골라 알맞은 덧셈식과 뺄셈식을 만드세요.

(39) (64) (83) (57) (28)

예 [64] + [28] = 92   [83] - [39] = 44

확인 학습

✚ 빈칸에 알맞은 수를 쓰세요.

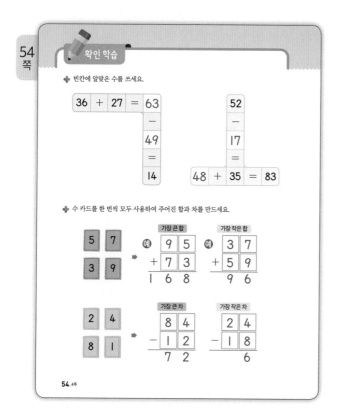

36	+	27	=	63
				−
				49
				=
				14

| 52 |
| − |
| 17 |
| = |
| 48 + 35 = 83 |

✚ 수 카드를 한 번씩 모두 사용하여 주어진 합과 차를 만드세요.

| 5 | 7 |
| 3 | 9 |

가장 큰 합
예
$$\begin{array}{r} 9\ 5 \\ +\ 7\ 3 \\ \hline 1\ 6\ 8 \end{array}$$

가장 작은 합
예
$$\begin{array}{r} 3\ 7 \\ +\ 5\ 9 \\ \hline 9\ 6 \end{array}$$

| 2 | 4 |
| 8 | 1 |

가장 큰 차
$$\begin{array}{r} 8\ 4 \\ -\ 1\ 2 \\ \hline 7\ 2 \end{array}$$

가장 작은 차
$$\begin{array}{r} 2\ 4 \\ -\ 1\ 8 \\ \hline 6 \end{array}$$

4주

마무리 평가

1회 **마무리 평가** 제한 시간: 5분 | 맞은 개수: /14개

덧셈을 하세요.

①
```
  5 8
+ 1 4
-----
  7 2
```

②
```
  2 6
+ 2 7
-----
  5 3
```

③ 45 + 36 = 81

④ 68 + 29 = 97

뒷수를 몇십으로 만들어 덧셈을 하세요.

⑪ 45 + 29 = 75 − 1
  30 −1
  = 74

⑫ 74 + 58 = 134 − 2
  60 −2
  = 132

덧셈에 알맞은 길을 그리세요.

⑤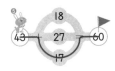
43 + 18 / 27 / 17 = 60

⑥ 25 + 57 / 58 / 56 = 83

덧셈식은 뺄셈식으로, 뺄셈식은 덧셈식으로 각각 2개씩 나타내세요.

⑬ 67 + 26 = 93
93 − 67 = 26
93 − 26 = 67

⑭ 86 − 39 = 47
47 + 39 = 86
39 + 47 = 86

뺄셈을 하세요.

⑦
```
  6 0
− 3 7
-----
  2 3
```

⑧
```
  9 0
− 2 2
-----
  6 8
```

⑨ 40 − 14 = 26

⑩ 70 − 35 = 35

2회 **마무리 평가** 제한 시간: 5분 | 맞은 개수: /15개

덧셈을 하세요.

①
```
  7 4
+ 6 2
-----
1 3 6
```

②
```
  5 3
+ 9 6
-----
1 4 9
```

③ 62 + 52 = 114

④ 83 + 85 = 168

몇십에 가까운 수를 몇십으로 만들어 덧셈을 하세요.

⑪ 35 + 29 = 64
  −1 +1
  34 + 30 = 64

⑫ 89 + 46 = 135
  +1 −1
  90 + 45 = 135

뺄셈을 하세요.

⑤
```
  6 2
− 2 6
-----
  3 6
```

⑥
```
  8 6
− 1 7
-----
  6 9
```

⑦ 97 − 39 = 58

⑧ 61 − 47 = 14

빈칸에 알맞은 수를 쓰세요.

⑬ 84 − 27 = 57
⑭ + ... 56 ... +
⑮ 16
= ... 140 ... =
73

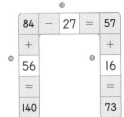

뺄셈에 알맞은 길을 그리세요.

⑨
54 − 38 / 28 / 27 = 26

⑩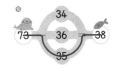
73 − 34 / 36 / 35 = 38

3회 마무리 평가

✏️ 덧셈을 하세요.

❶
```
   7 5
 + 4 8
 1 2 3
```

❷
```
   9 4
 + 6 7
 1 6 1
```

❸ $68 + 86 = \boxed{154}$

❹ $29 + 79 = \boxed{108}$

✏️ 뒷수를 몇십으로 만들어 뺄셈을 하세요.

❼ $56 - 29 = \boxed{26} + 1$

$\quad -30 \ +1$

$\quad = \boxed{27}$

❽ $94 - 48 = \boxed{44} + 2$

$\quad -50 \ +2$

$\quad = \boxed{46}$

✏️ 가르기 하여 ○ 안에 알맞은 수를 쓰세요.

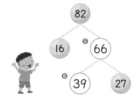

82

16   ❺ 66

❻ 39   27

✏️ 수 카드를 한 번씩 모두 사용하여 가장 큰 합 또는 가장 작은 합을 만드세요.

❾
2 6 7 4

가장 큰 합

예
```
   7 4
 + 6 2
 1 3 6
```

❿
9 5 8 6

가장 작은 합

예
```
   5 9
 + 6 8
 1 2 7
```

4회 마무리 평가

✏️ 덧셈을 하세요.

❶ $58 + 29 = \boxed{87}$

❷ $43 + 66 = \boxed{109}$

❸ $72 + 14 = \boxed{86}$

❹ $87 + 46 = \boxed{133}$

✏️ 몇십에 가까운 수를 몇십으로 만들어 뺄셈을 하세요.

❼
$74 - 18 = \boxed{56}$
$\quad {\scriptstyle +2} \quad {\scriptstyle +2}$
$\boxed{76} - \boxed{20} = \boxed{56}$

❽
$51 - 24 = \boxed{27}$
$\quad {\scriptstyle -1} \quad {\scriptstyle -1}$
$\boxed{50} - \boxed{23} = \boxed{27}$

✏️ 빈 곳에 알맞은 수를 쓰세요.

❺

```
  6 5
- 2 9
  3 6
```

❻

```
  9 3
- 1 5
  7 8
```

✏️ 수 카드를 한 번씩 모두 사용하여 가장 큰 차 또는 가장 작은 차를 만드세요.

❾
7 5 9 1

가장 큰 차

예
```
  9 7
- 1 5
  8 2
```

❿
2 6 5 8

가장 작은 차

예
```
  6 2
- 5 8
    4
```

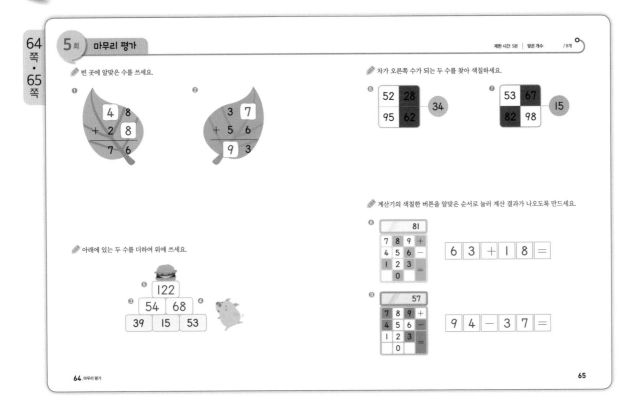

5회 마무리 평가

제한 시간: 5분 | 맞은 개수: /9개

빈 곳에 알맞은 수를 쓰세요.

① 4 8 / + 2 8 / 7 6

② 3 7 / + 5 6 / 9 3

아래에 있는 두 수를 더하여 위에 쓰세요.

⑤ 122
③ 54 68 ④
39 15 53

차가 오른쪽 수가 되는 두 수를 찾아 색칠하세요.

⑥ 52 28 / 95 62 ··· 34

⑦ 53 67 / 82 98 ··· 15

계산기의 색칠한 버튼을 알맞은 순서로 눌러 계산 결과가 나오도록 만드세요.

⑧ 81
6 3 + 1 8 =

⑨ 57
9 4 − 3 7 =

64 . 마무리 평가

65

실력 평가

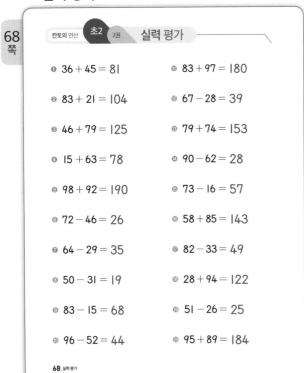

칸토의 연산 | 초2 | 2권 | 실력 평가

① $36 + 45 = 81$
② $83 + 21 = 104$
③ $46 + 79 = 125$
④ $15 + 63 = 78$
⑤ $98 + 92 = 190$
⑥ $72 - 46 = 26$
⑦ $64 - 29 = 35$
⑧ $50 - 31 = 19$
⑨ $83 - 15 = 68$
⑩ $96 - 52 = 44$

⑪ $83 + 97 = 180$
⑫ $67 - 28 = 39$
⑬ $79 + 74 = 153$
⑭ $90 - 62 = 28$
⑮ $73 - 16 = 57$
⑯ $58 + 85 = 143$
⑰ $82 - 33 = 49$
⑱ $28 + 94 = 122$
⑲ $51 - 26 = 25$
⑳ $95 + 89 = 184$

68 . 실력 평가

16

칸토의 연산

The essence of mathematics lies in its freedom.

수학의 본질은 그 자유로움에 있다.

Georg Cantor(1845~1918)

KC

모 델 명: 칸토의 연산
제조년월: 2022년 12월 | 제조자명 : ㈜씨투엠에듀
주소 및 전화번호 : 경기도 수원시 장안구 파장로 7(태영빌딩 3층) / 031-548-1191
제조국명: 한국 | 사용연령 : 만 3세 이상

이 책의 전부 또는 일부에 대한 무단전재와 무단복제를 금합니다.
홈페이지 : www.c2medu.co.kr | 지원카페 : cafe.naver.com/fieldsm